D0238911

Sudoku

Published by Hinkler Books Pty Ltd
45–55 Fairchild Street
Heatherton Victoria 3202 Australia
www.hinkler.com

Cover Design: Leanne Henricus
Typesetting: MPS Limited

ISBN: 978 1 4889 3097 3

Printed and bound in China

What is Sudoku?

Sudoku is a type of logic puzzle that has been popular in Japan for about 20 years. However, the world has caught on to the challenge of sudoku. In the UK the craze is so popular that there has even been a television program based around solving sudoku. Sudoku means 'single number' in Japanese, but these puzzles are also known as 'Number Place' puzzles in the United States.

A typical sudoku grid consists of a 9x9 grid that is made up of nine smaller 3x3 grids (called boxes or regions).

The Purpose of Sudoku

Each row, column and box must contain only one of each number from 1 to 9.

Despite using numbers, this is not a mathematical puzzle. Logic skills and a lot of time and patience are needed to solve sudoku. Using a process of elimination, it is possible to narrow down a number's location in the grid. Once you've solved one number's location, you'll find that this will open up new areas where you can start the process of elimination over again.

Puzzles can come in different levels of difficulty. The puzzles in this book range in difficulty from simple (level 1) to extreme (level 5)!

Solving Sudoku

Let's take a look at a typical sudoku puzzle.

Often the easiest way to get started is to look at the box, column or row with the most numbers in it.

	5	6	3	8	9			4
1		2			6		8	
						3		7
3	7		9	5	2			
5							7	3
6					7	5	1	
9				4		7	3	
2			7					8
8	6		2		3	4		

The first column is missing numbers 4 and 7. Row 1 contains a 4, therefore 4 must go in the third square of the first column. Row 3 contains a 7, therefore 7 must go in the first square of the first column.

	5	6	3	8	9			④
1		2			6		8	
						3		⑦
3	7		9	5	2			
5							7	3
6					7	5	1	
9				4		7	3	
2			7					8
8	6		2		3	4		

INSTRUCTIONS

The number 3 is missing from the first box (or region). There is already a 3 in the third row, so the only other space it can go in the first box is in the centre square of the second row.

7	5	6	3	8	9			4
1		2			6		8	
4						(3)		7
3	7		9	5	2			
5							7	3
6					7	5	1	
9				4		7	3	
2			7					8
8	6		2		3	4		

The first row is missing a 1 and a 2. We can see by the highlighted column that 1 can only go in one place, therefore we also know where to place the 2. We've finished another row!

7	5	6	3	8	9			4
1	3	2			6		8	
4						3		7
3	7		9	5	2			
5							7	3
6					7	5	(1)	
9				4		7	3	
2			7					8
8	6		2		3	4		

Scan the puzzle and see where else you can fill in numbers. Often it is hard to finish a grid, row or box immediately – look and see where you can solve a number elsewhere in the grid. You'll be surprised how a number on the other side of the grid can help solve a box.

In the next step, you'll see that the third box needs a number 6. We're able to eliminate the second row, therefore the only spot left is in the third row.

7	5	6	3	8	9	1	2	4
1	3	2			(6)		8	
4						3		7
3	7		9	5	2			
5							7	3
6					7	5	1	
9				4		7	3	
2			7					8
8	6		2		3	4		

We're also missing number 5 in the same box. By eliminating the highlighted row containing a 5, there's only one spot it can go.

7	5	6	3	8	9	1	2	4
1	3	2			6		8	
4						3	6	7
3	7		9	5	2			
5							7	3
6					7	(5)	1	
9				4		7	3	
2			7					8
8	6		2		3	4		

This box is now missing only one number: a 9. As there's only one spot left in the box, we can complete this part of the puzzle.

7	5	6	3	8	9	1	2	4
1	3	2			6	9	8	5
4						3	6	7
3	7		9	5	2			
5							7	3
6					7	5	1	
9				4		7	3	
2			7					8
8	6		2		3	4		

Now see the second box of the grid. We need a 7. We can see from the highlighted areas where the 7 cannot go, therefore we've found the spot for the 7.

7	5	6	3	8	9	1	2	4
1	3	2			6	9	8	5
4						3	6	7
3	7		9	5	2			
5							7	3
6					7	5	1	
9				4		7	3	
2			7					8
8	6		2		3	4		

We can also see from the highlighted row and column that there is only one spot that the 4 can go, so we can fill that number in, completing another row.

7	5	6	3	8	9	1	2	4
1	3	2		7	6	9	8	5
4						3	6	7
3	7		9	5	2			
5							7	3
6					7	5	1	
9				4		7	3	
2			7					8
8	6		2		3	4		

Continue with the puzzle, using this process of elimination. See if you can solve the rest of the puzzle yourself. We've provided the grid in the next column for you to complete, and its answer beneath for your reference.

7	5	6	3	8	9	1	2	4
1	3	2	4	7	6	9	8	5
4						3	6	7
3	7		9	5	2			
5							7	3
6					7	5	1	
9				4		7	3	
2			7					8
8	6		2		3	4		

7	5	6	3	8	9	1	2	4
1	3	2	4	7	6	9	8	5
4	8	9	5	2	1	3	6	7
3	7	1	9	5	2	8	4	6
5	9	8	1	6	4	2	7	3
6	2	4	8	3	7	5	1	9
9	1	5	6	4	8	7	3	2
2	4	3	7	1	5	6	9	8
8	6	7	2	9	3	4	5	1

Other Hints

Use a pencil when solving sudoku. That way you can pencil in potential answers and erase them if necessary. Sometimes a square may seem to have two possible numbers. Pencil them both in as a prompt, then erase the incorrect one when you have more information.

If you've been focusing on solving grids, try shifting your attention to rows or columns. Try not to guess to solve sudoku. Most puzzles will have a logical solution – you just have to find the right way to solve it!

					9		4	
	3	5					9	6
			4	1		8		
	2			9	4	3		1
8				5				2
6		3	8	2			7	
		2		8	7			
3	6					9	1	
	7		9					

SUDOKU 2

LEVEL 1 2 3 4 5

		9		4			7	3
			3		2	5	9	8
5				7		4	3	2
		4	6	2	9	7		
2	7	1		3				9
9	4	2	1		8			
7	3			9		6		

SUDOKU 3

LEVEL 1 2 3 4 5

	4							
2				6	8			4
		7	2		5	9	8	
		1		9	6	7	4	
6	5			7			3	1
	8	4	3	1		6		
	1	8	6		3	4		
4			1	5				3
							9	

4	3	2	7	8	6	1	9	5
8	1	6	9	5	4	2	3	7
5	7	9	3	2	1	8	4	6
6	5	3	4	1	2	7	8	9
1	8	4	5	7	9	6	2	3
2	9	7	6	3	8	5	1	4
7	6	1	8	4	3	9	5	2
3	2	5	1	9	7	4	6	8
9	4	8	2	6	5	3	7	1

SUDOKU 5

LEVEL 1 2 3 4 5

8					3			7
				8		3	2	4
	9	7	4			6		
	1				6	9	8	3
			5	3	4			
6	3	2	1				4	
		6			1	8	3	
1	4	3		2				
7			3					2

LEVEL 1 2 3 4 5

			2					
				4	5			3
	2	8	1			4		6
9			3	7			5	4
4		3		5		1		2
8	1			2	4			9
2		6			7	5	9	
7			8	6				
					3			

SUDOKU 7

LEVEL 1 2 3 4 5

8							9	1
	2				7	4		
			6	8	4		7	3
2				1	9	7	5	
	9			2			3	
	5	1	3	6				4
6	8		5	4	2			
		9	8				4	
5	4							7

LEVEL 1 2 3 4 5

		8	5					
			3	8				4
7					2	3	8	9
	8	2			3			1
	7	6		4		5	2	
5			6			9	7	
4	1	3	2					5
2				1	8			
					5	7		

SUDOKU 9

LEVEL 1 2 3 4 5

		7					3	
				1	7			6
9		4		8			2	1
3			6				8	5
		5	9	3	1	4		
1	7				4			9
4	2			6		9		3
7			5	4				
	8					6		

LEVEL 12345

	7	3						
5			8		3		7	
1	6		2			9		
		7	9			3	2	4
		6		4		8		
3	2	4			7	6		
		5			6		3	9
	9		5		8			2
						5	4	

LEVEL | 2 3 4 5

		8			3			2
				7			4	
2			9		4	5	7	
		5			1		2	8
6	8			2			3	9
9	2		4			1		
	1	4	3		5			7
	6			4				
5			7			6		

LEVEL 12345

								9
6					4	3	8	
	3		1		7		4	6
		8			5		1	3
	1	9		8		2	7	
7	5		2			8		
5	2		7		1		9	
	7	1	6					2
3								

LEVEL 1 2 3 4 5

			2			1		
			1		4			3
1	3			8		2		4
6			4			3	8	7
	4		3	1	5		6	
3	2	9			8			1
4		2		5			3	6
5			6		7			
		8			3			

LEVEL | 2 3 4 5

8					4	3		
1							5	4
9	4	3		5	1			
		1	5		7		8	2
	9			3			6	
7	8		2		9	1		
			9	1		6	7	5
6	3							8
		7	4					9

SUDOKU 15

LEVEL 1 2 3 4 5

8		4	6		3			1
5	2		4			6	8	
		1	2	6			9	7
3	6			9			1	2
7	9			1	4	5		
	4	3			5		7	9
2			9		6	8		4

LEVEL 1 2 3 4 5

6	2				5			
5			6	3			7	
7		9			4		5	6
4	6			9		1		
	1		8		7		9	
		7		6			3	2
9	8		1			5		4
	5			2	6			8
			4				2	9

LEVEL 1 2 3 4 5

				1		4		6
	1	3						2
		2	6	5			1	9
3	6		5		1		7	
1		4		2		5		8
	9		8		4		6	3
7	3			8	5	6		
4						8	3	
5		6		3				

LEVEL 1 2 3 4 5

		8						1
			1		3			4
	6			9		2	8	5
	1	5			4	7		
8	4			7			1	3
		6	5			4	2	
9	3	4		1			6	
5			7		8			
6						1		

SUDOKU 19

LEVEL 1 2 3 4 5

						2	1	
	9	7		1				8
1				3			6	7
	3	1			5		9	6
		6	7	9	3	5		
5	7		4			8	2	
9	6			2				5
3				5		4	7	
	5	2						

SUDOKU 20

LEVEL 12345

2		9	4			1		7
	1				6	4	9	8
4	3	1		5				
6	8			9			3	4
				7		6	8	1
5	4	8	2				6	
3		6			7	2		5

SUDOKU 21

LEVEL 1 2 3 4 5

				3	9	6		
9		8		1				
		3	8			7	2	
1	4				2	8	3	
	9		1	6	3		4	
	7	2	4				9	6
	8	1			7	9		
				4		3		1
		7	6	9				

SUDOKU 22

LEVEL 1 2 3 4 5

					9		7	
8	4					5		
7				1	5	6		4
5		3		7			4	6
	7		3	6	1		2	
1	2			4		7		9
4		7	1	8				3
		5					8	1
	1		2					

SUDOKU 23

LEVEL 1 2 3 4 5

	1					3		
			9		3		4	
				5	1	9	2	7
4			5	1		7		9
8		6		9		5		2
1		5		8	2			4
5	8	2	4	7				
	3		2		5			
		4					7	

LEVEL 1 2 3 4 5

		7			1	3	8	9
2	1				6	5		4
6			4		5		2	3
	3			1			9	
4	5		3		8			6
7		6	8				3	2
1	9	5	7			6		

LEVEL | 2 3 4 5

				7	3			4
5	9							
3			4		1		2	6
9		3		1			7	
	1		2	5	8		6	
	2			3		4		1
6	8		1		5			3
							1	2
1			7	2				

LEVEL 12345

7					5			8
		3				5	6	9
		1	3	8			7	
	5		9		3	2		7
	9			2			4	
4		2	1		6		5	
	7			3	1	8		
6	3	5				1		
9			4					6

SUDOKU 27

LEVEL 1 2 3 4 5

						6		
	6	2					1	7
	4	9	3		1	5		
6	7		4		3			9
	1	3		7		8	4	
8			6		2		5	3
		6	8		4	2	7	
5	2					4	9	
		7						

LEVEL 12345

		7						
5				9	6	1		8
	4			3	7			5
	2				5	9		3
		3	2		4	6		
7		6	3				2	
4			1	7			9	
2		8	6	5				1
						5		

SUDOKU 29

LEVEL | 2 3 4 5

		6	5				1	
9				8				
5	7	4	9					3
8			3		6	7	9	
1		3				8		6
	9	7	1		8			4
7					9	3	4	8
				4				7
	6				1	2		

LEVEL 1 2 3 4 5

						4		
			1		2		7	8
4	8	6	3					2
1	6			2	7			
8	7			3			6	1
			4	1			3	7
2					4	1	5	6
6	9		5		3			
		7						

SUDOKU 31

LEVEL 1 2 3 4 5

					8			4
		4	5					6
			1	3		7	5	2
3		1		9		6		
9	5			8			3	7
		2		7		1		5
4	9	3		5	2			
5					6	2		
2			8					

LEVEL | 2 3 4 5

2	8		1					
		9	3	6				2
	7			8	4	5		3
	2	7	6					8
	6	5		3		9	7	
3					8	6	2	
7		1	8	2			5	
5				4	3	2		
					9		4	7

SUDOKU 33

LEVEL 1 2 3 4 5

9								
	6	8		5		9	2	
4	2			3	6			7
7			4			1	3	2
	1			9			7	
5	4	2			1			8
1			2	6			4	3
	7	4		1		8	6	
								1

LEVEL 1 2 3 4 5

				4				
4		9			8		1	
		5	1	9			4	7
9	1	4			2			6
2			8		7			1
7			9			3	5	2
8	4			5	3	7		
	9		2			5		4
				7				

SUDOKU 35

LEVEL 1 2 3 4 5

					1			5
						1	7	
8	7		2		6			4
		2	5			9	4	
	1		6	2	4		5	
	6	5			7	8		
1			9		3		6	8
	8	7						
5			1					

LEVEL 1 2 3 4 5

			7					
9						5	8	4
	6	3	5			7		2
6	4		8			9		3
		9	3	4	1	6		
3		5			6		4	7
1		2			7	8	9	
4	3	8						1
					8			

SUDOKU 37

LEVEL 1 2 3 4 5

			8		2			
8			7	1			3	9
4	1					8		
1			4			9	2	7
		7	3	8	9	1		
9	5	6			1			8
		8					1	4
6	9			3	7			2
			5		8			

LEVEL 1 2 3 4 5

9							4	1
8					5	2	7	
3			4		9		6	
7	6				4	8	9	
		3	9	5	1	6		
	9	2	7				1	3
	7		5		2			4
	5	4	1					2
2	3							6

SUDOKU 39

LEVEL 1 2 3 4 5

						4		
			7			6	1	8
4		1		9	6		7	
8		9		6		2		1
2			4		9			5
7		5		1		8		6
	6		2	5		9		7
5	7	8			1			
		2						

LEVEL 12345

	3							
		7		2	8	3	5	
5		4	7		3			9
	5	8	1				4	6
7			8	6	2			1
6	1				9	8	3	
4			2		6	9		3
	6	1	9	8		7		
							6	

SUDOKU 41

LEVEL 1 2 3 4 5

			6					
	1			4	2			
		8	9	5	3	4	1	7
		2			8	7	5	
5	7		2	1	4		8	6
	8	9	5			1		
7	5	1	4	2	9	8		
			8	3			4	
					5			

LEVEL 1 2 3 4 5

		2			5		8	
				4	8		1	
		8				5	3	9
			3		1	8		7
3	5			9			4	6
6		1	7		4			
8	6	5				3		
	7		5	1				
	4		2			9		

SUDOKU 43

LEVEL 1 2 3 4 5

						6		
		1				9	5	4
	7	6		5	4		8	
	6		3	7				9
4		7		1		8		2
3				2	8		6	
	2		6	9		3	4	
1	4	3				7		
		5						

LEVEL 1 2 3 4 5

	5				8			
6		2				8		1
	8	4		1			7	3
2	6				9	4		7
		8	3	6	2	1		
1		5	7				3	6
3	4			2		9	5	
5		9				3		2
			5				1	

SUDOKU 45

LEVEL 1 2 3 4 5

								1
					1	3		7
8		9	2		7		4	
	5				8		2	3
4		1		2		8		9
7	2		4				6	
	6		7		5	9		2
5		3	9					
2								

LEVEL 1 2 3 4 5

			7			4		
9								6
	1	3	6	8			9	
		6			3	1	4	
1		2		4		7		9
	7	9	1			5		
	6			2	8	9	1	
5								3
		7			6			

SUDOKU 47

LEVEL 1 2 3 4 5

								3
			7			6		5
4		8			6	9	2	
			8		3	2	7	1
3	1			9			8	4
5	8	7	2		1			
	7	5	3			4		6
9		4			2			
8								

LEVEL 1 2 3 4 5

				7	5	3		
4	7							
5	1		2		8			
1	2	7		9				3
8	6			5			7	1
3				6		9	2	8
			5		7		6	9
							8	7
		8	9	1				

SUDOKU 49

LEVEL 1 2 3 4 5

			6					
				9		8		5
6		3				7	4	9
			9	6		2	7	3
9	3			8			1	6
5	2	6		3	1			
1	6	5				4		8
8		9		1				
					9			

LEVEL 2 3 4 5

6				9				
				7	6		2	9
9					1	7		8
4			1				8	
1		6	2	8	9	4		5
	9				5			2
3		5	9					4
2	6		7	5				
				1				7

SUDOKU 51

LEVEL 1 2 3 4 5

	3						6	
7						9		3
8		9			3			7
6	4				5		8	
3	9		4	7	2		5	6
	1		3				7	9
9			5			2		1
1		6						5
	7						9	

LEVEL 1 2 3 4 5

				6	2	7		
	8	7			3	6		5
9			1		4	8		7
1	4		7	8	5		9	6
7		8	6		9			4
4		5	3			1	8	
		3	4	7				

SUDOKU 53

LEVEL 1 2 3 4 5

	1			5				
			8	4			1	5
6					7		4	3
8		7			1	2		
2		1		8		7		9
		6	2			4		1
3	6		5					8
1	8			2	3			
				6			9	

LEVEL 12345

							7	
			8	5		3		
3	5	2		1			8	4
	8	5		2	6		9	
6	4						5	8
	9		5	4		7	3	
9	1			7		8	2	3
		4		8	2			
	2							

SUDOKU 55

LEVEL 1 2 3 4 5

2								1
	5		1	4				9
	9		5				7	2
		5		1		3	9	8
	4		3	2	8		1	
1	8	3		5		7		
5	1				9		8	
3				8	1		6	
8								3

LEVEL 2 3 4 5

							9	
				5	2		1	6
2	8			1		4	5	
6		1				2		9
	5		8	2	6		7	
8		7				3		5
	3	4		8			2	7
5	7		6	3				
	6							

SUDOKU 57

LEVEL 1 2 3 4 5

			4			8		
6	1						9	4
	8	9			2	1		5
	4	7		2			8	3
			1	7	4			
9	2			8		4	1	
2		5	7			3	4	
3	6						5	9
		4			3			

LEVEL 1 2 3 4 5

3								
				7	1		4	2
			2		8	7	5	3
	2	4	8		9			5
9		3		6		2		4
8			4		5	9	3	
2	3	1	6		4			
4	9		7	1				
								1

SUDOKU 59

LEVEL 1 2 3 4 5

								3
2		9			6	5	7	
7			2				9	
	9	2		3			4	5
1			5	2	4			6
6	4			9		1	3	
	7				2			9
	8	1	7			2		4
3								

LEVEL 1 2 3 4 5

								8
	9				4		5	1
1		2			8			4
		4	9		5		8	3
	8	9		7		1	2	
3	5		6		2	4		
9			3			8		6
4	7		8				9	
2								

SUDOKU 61

LEVEL 1 2 3 4 5

	1							
				7		6		4
7		4	8			3		2
1				3		8	6	7
	7		1	8	9		5	
8	3	5		4				9
4		1			5	9		8
6		7		9				
							4	

LEVEL 1 2 3 4 5

						9		
						5	3	4
			9		6	2	1	7
8			2			3		1
3	6	4	8		1	7	2	5
2		1			3			8
1	4	8	7		2			
5	2	7						
		3						

SUDOKU 63

LEVEL 1 2 3 4 5

			5				4	
4	7			6				5
		9				1		7
9	3			8			5	2
	4		3	5	7		8	
8	1			9			7	3
3		1				5		
7				1			2	6
	5				2			

LEVEL 1 2 3 4 5

					9			
		5	8	6			1	3
6		1				5	8	
5	2			9			7	4
		9	5		3	6		
8	7			4			9	5
	3	2				9		7
9	5			2	7	8		
			9					

SUDOKU 65

LEVEL | 2 3 4 5

		4	7					
6		8				1		4
			1	4	8			3
2			4		1		7	6
	6			8			9	
9	8		5		3			2
1			8	3	2			
8		2				6		1
					4	5		

LEVEL 1 2 3 4 5

	2				1			
			2	5				3
		5		7		1	9	2
5		3	9		4	8		
8				2				4
		2	8		3	5		1
9	6	7		3		4		
2				8	9			
			5				6	

SUDOKU 67

LEVEL 1 2 3 4 5

		2		5				
5	1						7	6
	3		1		6	2		4
	2	5		9				7
	7		2	1	3		9	
3				7		1	2	
4		3	8		9		1	
7	8						6	3
				3		4		

LEVEL 1 2 3 4 5

			2				7	
		9	4				5	2
4	2				7	8		
	5	6	3			7		
1	8			7			4	5
		2			5	3	6	
		4	7				8	1
5	6				3	9		
	1				8			

SUDOKU 69

LEVEL 1 2 3 4 5

					2			
6			5			8	4	9
1	8		6				5	
	5			1	8	9		4
8	4						1	5
3		9	4	5			2	
	2				6		9	1
9	7	8			5			2
			9					

LEVEL 1 2 3 4 5

					6			
9		2	3					4
1			9	7			6	
	1	8		6			2	3
5			8	3	7			1
3	9			4		7	8	
	3			5	4			8
2					3	5		7
			2					

SUDOKU 71

LEVEL 12345

			1					4
	5		8			1		
1			4		9		3	8
	6	3	9			8		7
	1			8			6	
8		7			1	9	5	
2	8		6		7			1
		4			8		7	
6					4			

LEVEL 1 2 3 4 5

		9			1	4		8
1	2				5	9		
7	9			5	4	3		2
8		3		2		5		6
5		2	8	9			4	7
		4	5				2	9
9		5	4			8		

SUDOKU 73

LEVEL 1 2 3 4 5

							6	4
		3		6	8			
	5		1		9			7
		7			4	3	5	2
1			9	7	2			8
6	2	4	8			9		
5			3		1		2	
			2	8		4		
3	9							

LEVEL 1 2 3 4 5

		4		3				
	6				2	8		7
5				7	8		3	4
4			7		3	9		2
		9				7		
8		7	2		6			1
2	9		1	5				6
3		6	8				4	
				6		2		

SUDOKU 75

LEVEL 1 2 3 4 5

							2	
5			6		7	8		1
					2	9		
1	8		5		9	2		6
4			2	8	1			3
2		9	4		6		1	8
		4	8					
7		3	9		4			5
	9							

LEVEL 1 2 3 4 5

9								
		1		7		9		3
	4				3		1	6
5	1		7	3			9	
4	3			8			5	7
	7			9	6		3	1
3	6		2				7	
1		2		6		5		
								2

SUDOKU 77

LEVEL 1 2 3 4 5

			3				5	
5	8			1			9	
3					4	8		1
8		3	4					9
	2	9		5		3	8	
4					9	6		7
9		7	2					8
	4			7			6	5
	5				8			

LEVEL 1 2 3 4 5

							6	
	6	3	1	7				4
9		8					2	3
	9		2	4		6	3	
6		7		3		4		9
	1	4		9	5		8	
4	3					2		6
2				1	3	9	4	
	5							

SUDOKU 79

LEVEL 1 2 3 4 5

1								
		8	6	7			2	1
		6	8		9	3		
	8		1			7	4	2
3			9	5	7			6
6	1	7			2		3	
		4	7		1	2		
7	9			2	6	1		
								9

SUDOKU 80

LEVEL 12345

				2	5			3
							4	
		1	8		3		9	5
	4	6	3			9		7
	5		7	9	4		2	
7		9			6	3	5	
3	7		9		1	5		
	9							
2			5	6				

SUDOKU 81

LEVEL 1 2 3 4 5

							3	2
	8	2			5	7	4	
7	6							8
5	1				4			6
	7		1	2	3		5	
2			5				9	1
1							2	7
	2	7	4			9	6	
6	3							

LEVEL 1 2 3 4 5

							7	
			7				1	9
	1	2			3			
		9			4			1
1			8	9	2			4
8			5			6		
			3			8	5	
6	2				7			
	3							

SUDOKU 83

LEVEL 1 2 **3** 4 5

5								
			9				7	
	8		5	1		3		4
2		5			7			
6	3						1	8
			6			5		3
7		3		2	5		4	
	4				9			
								7

LEVEL 1 2 3 4 5

					2	8		
2			9					
8	9						3	2
		8		3	4		6	
		4				7		
	7		6	9		4		
3	4						2	5
					9			4
		6	2					

SUDOKU 85

LEVEL 1 2 3 4 5

			7				4	
7			2		4			1
3						6	2	
			5				8	
		6	1		8	4		
	4				3			
	1	8						9
6			4		2			5
	3				7			

SUDOKU 86

LEVEL 1 2 3 4 5

			6			4		
			7		8			6
	4					2	8	3
1				7				
		8	9		4	5		
				5				7
6	2	1					4	
8			4		6			
		5			7			

SUDOKU 87

LEVEL 1 2 3 4 5

					5			
9		2			4			3
						6	7	
3				2				9
2		7		5		3		1
5				1				7
	2	6						
8			7			4		2
			1					

LEVEL 1 2 3 4 5

		7			8			
			5				3	6
2	6			4				7
	7	3						1
5								8
1						6	2	
7				6			9	3
6	1				3			
			4			5		

SUDOKU 89

LEVEL 1 2 3 4 5

		9						1
4					2			
2		1	8					6
	3		4				2	
		8		2		9		
	4				1		3	
5					3	8		2
			5					4
7						3		

LEVEL 1 2 3 4 5

2				8	4	5		
9	4		7				8	
		8		6	2		4	
		6				3		
	1		5	9		2		
	6				5		2	7
		2	8	7				9

SUDOKU 91

LEVEL 1 2 3 4 5

7		9		8			4	
		3		7		1	5	
5			1					
9	4			6			2	8
					3			1
	1	7		4		2		
	8			3		7		4

LEVEL 1 2 3 4 5

		1						
	3				4			
					6	2	7	3
	1	4		8				2
6			5		3			8
3				7		1	9	
4	6	7	9					
			2				3	
						9		

SUDOKU 93

LEVEL 1 2 3 4 5

					8		4	
			4	2	5			
8						2		6
	6					3	5	
			1	7	3			
	2	7					1	
5		6						2
			9	5	1			
	9		7					

SUDOKU 94

LEVEL 1 2 3 4 5

						4		
	2							8
				7	5		1	
7		8			9		4	3
	9		3		8		6	
6	1		4			9		2
	7		8	6				
4							7	
		6						

SUDOKU 95

LEVEL 1 2 3 4 5

							9	
		2						4
4	8				3	2	5	
3		7	6		8			
2								8
			9		7	4		2
	9	1	7				4	6
5						1		
	7							

LEVEL 1 2 3 4 5

1							4	
			9			6		
5	9			4	3			
	2							4
	5	6		8		3	9	
3							6	
			3	9			8	2
		5			4			
	4							1

SUDOKU 97

LEVEL 1 2 3 4 5

			6					2
2				8				
5						7	1	4
		3			5		7	
		2	3		9	8		
	4		1			3		
4	3	6						8
				5				9
1					2			

LEVEL 1 2 3 4 5

	5	6					3	
						8	4	9
		1		9	2			
2			9				5	
		5				7		
	1				8			2
			4	1		3		
6	2	3						
	4					9	8	

SUDOKU 99

LEVEL 1 2 3 4 5

							4	
4							6	2
	6		5		9			1
2				8			9	7
			9		7			
5	9			3				6
8			1		3		7	
6	3							4
	2							

LEVEL 1 2 3 4 5

3					9			
			2			4		
2	8	1					6	9
		4			1	9		8
6		2	7			3		
4	3					5	1	6
		6			5			
			3					7

LEVEL 1 2 3 4 5

7								
		1		3			7	8
	3		1					9
	8	5		4				6
	2						9	
6				5		3	8	
1					2		6	
2	9			7		8		
								5

						6		5
							3	8
			4		1	7		
9			3	8				4
		2		6		8		
8				5	9			2
		8	9		7			
5	3							
2		6						

SUDOKU 103

LEVEL 1 2 3 4 5

					6		1	
		3						6
9		7						5
	4			1			6	3
			5	2	4			
5	1			3			9	
4						1		7
3						2		
	9		1					

LEVEL 1 2 3 4 5

				6				
3							1	
5		4	2				6	9
			8				7	
	9	2		7		1	8	
	5				4			
7	4				8	9		5
	6							8
				2				

SUDOKU 105

LEVEL 1 2 3 4 5

		8						1
9					3			
7		2			4	6		
	3			5		2		
	2		4		7		3	
		1		8			7	
		3	9			1		7
			5					9
5						3		

LEVEL 1 2 3 4 5

			9			7		
4			1					9
		2		4			1	
			5			9	8	
	7		3		1		6	
	1	9			8			
	6			8		3		
7					9			6
		8			2			

SUDOKU 107

LEVEL 1 2 3 4 5

		3				9		
					8	1		
	5			4	2		8	
	7			9		2		
8			7		6			9
		1		2			7	
	9		5	6			1	
		4	3					
		6				5		

LEVEL 1 2 3 4 5

2								
						4	5	
				5	8	1	6	3
	5			2				6
	8		9		7		4	
6				8			7	
5	6	2	7	1				
	4	3						
								7

SUDOKU 109

LEVEL 1 2 3 4 5

							4	
							7	5
2				9	5	1		6
	1			6				7
	6		5		4		1	
3				1			8	
1		6	8	3				2
8	9							
	4							

LEVEL 1 2 3 4 5

					9			5
				1		8		9
		7		4			3	1
						3	8	
			3		6			
	5	4						
6	3			8		1		
2		1		7				
9			2					

LEVEL 1 2 3 4 5

6				7				
2					6			
3		5	1		4			
					2	7	3	1
		4				6		
1	7	3	8					
			6		1	3		5
			3					7
				8				2

LEVEL 1 2 3 4 5

						6		
		2				8		
			3		7	5		2
4			5			1	6	
	5		1		9		8	
	2	9			4			7
2		7	4		1			
		5				7		
		8						

SUDOKU 113

LEVEL 1 2 3 4 5

						3		
3					7		5	8
		1		3				9
	4		1					5
9	1						4	6
8					5		3	
1				9		8		
5	3		4					1
		7						

LEVEL 1 2 3 4 5

3	7	4		5				
				8	2		7	6
	8				1	9		3
6								8
9		3	6				5	
5	3		4	1				
				2		5	4	7

SUDOKU 115

LEVEL 1 2 **3** 4 5

1	6	8		3				
	5		6	7				8
		1	5			7		
	4	6				8	1	
		7			3	9		
7				1	6		4	
				4		6	5	9

								2
			9		2		8	
					5	1	7	4
				9	7	5		
6	8						4	7
		5	4	2				
4	9	1	8					
	5		7		4			
3								

SUDOKU 117

LEVEL 1 2 3 4 5

				8			6	
					5			
				9		7		1
3	7		2			1		
	9			3			2	
		6			1		5	9
8		1		7				
			4					
	2			1				

LEVEL 1 2 3 4 5

							8	
		4			5			
5					8		6	3
8							1	9
		7		1		6		
2	3							5
3	9		8					2
			9			1		
	7							

LEVEL 1 2 3 4 5

								2
3		7						
			2		6		7	
	8			5				1
		5	4	6	9	3		
9				1			6	
	1		8		7			
						5		3
2								

LEVEL 1 2 3 4 5

		5						9
			2		1			
9	3	7						
7	5				4			
		9		3		8		
			5				2	4
						9	1	8
			8		2			
4						3		

LEVEL 1 2 3 4 5

					5		6	
			2		1			
	3	2						8
1		9						5
		7		6		1		
8						9		2
7						3	5	
			7		9			
	6		3					

LEVEL 1 2 3 4 5

			7			6		
	4				1			
						8		1
		6		9		5		
4		9		6		3		8
		2		7		1		
3		1						
			8				2	
		5			2			

LEVEL 1 2 3 4 5

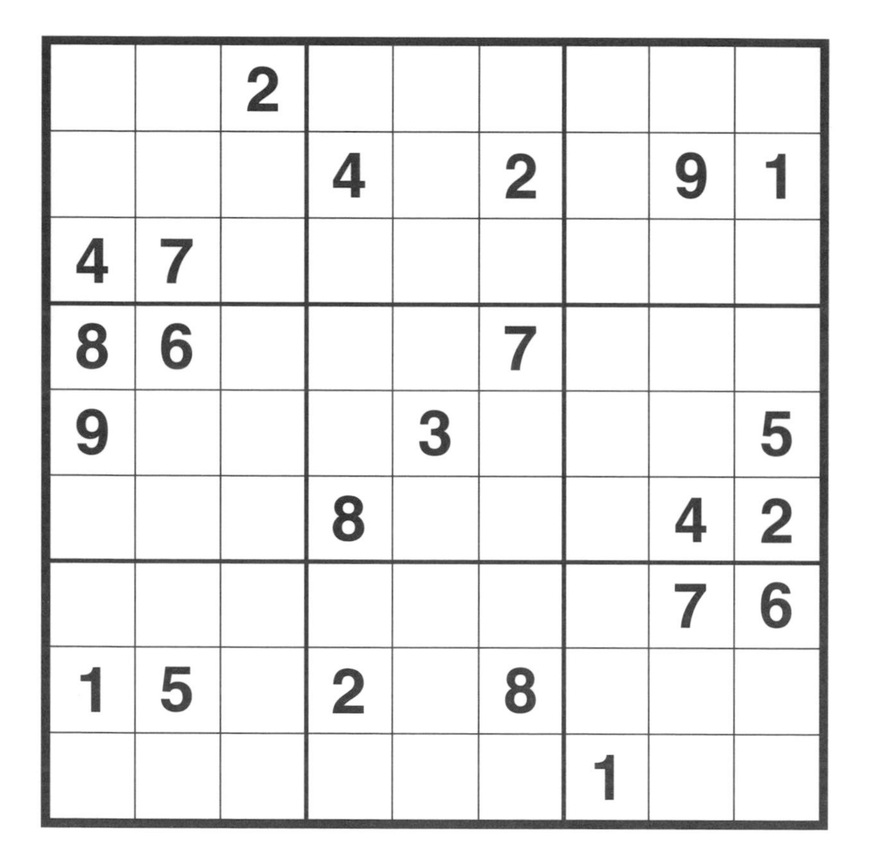

		2						
			4		2		9	1
4	7							
8	6				7			
9				3				5
			8				4	2
							7	6
1	5		2		8			
						1		

LEVEL 1 2 3 4 5

			3		1			
							6	1
	2					7	9	
6								9
	1		4	3	9		7	
8								5
	6	7					2	
2	3							
			1		8			

LEVEL 1 2 3 4 5

1			4					5
				3	2	1	6	
	4	6					7	
7				8				1
	2					4	3	
	8	3	2	5				
4					6			9

LEVEL 1 2 3 4 5

					2			
			3				8	4
		7				5		
5					7		1	
6	2			9			5	8
	4		6					9
		3				8		
2	6				1			
			5					

SUDOKU 127

LEVEL 1 2 3 4 5

								4
		9	8	7				6
					3		7	
					8	2	4	
		5		9		8		
	1	2	4					
	2		7					
3				6	1	5		
7								

LEVEL 1 2 3 **4** 5

					1			
		9			7			4
4						6		9
3			5			8	4	
				9				
	7	6			3			5
6		2						3
1			8			9		
			7					

SUDOKU 129

LEVEL 1 2 3 **4** 5

				4				
								9
	9	1		3		7	6	
6	4							
7			8	9	5			4
							5	1
	7	6		1		3	8	
8								
				7				

LEVEL 1 2 3 4 5

				9	2	4		
		2	7				1	9
4				3				6
	5			7			9	
1				4				2
2	6				4	5		
		7	1	5				

SUDOKU 131

LEVEL 1 2 3 4 5

			1	9			2	
						8	1	
		4						
1					6	2		3
	6			8			4	
2		3	4					9
						9		
	7	6						
	5			7	8			

LEVEL 1 2 3 4 5

								6
							2	3
1			9	7			5	
			1				7	4
7				8				5
4	3				2			
	2			5	1			7
9	7							
3								

SUDOKU 133

LEVEL 1 2 3 4 5

2			5	3				
								2
		8				4	9	
							7	5
		5	8	2	6	1		
4	3							
	8	1				6		
7								
				7	3			4

LEVEL 1 2 3 4 5

					7			
			2	1		7		
	4						2	5
					1	2	3	
	6			3			5	
	9	8	4					
4	5						9	
		1		4	8			
			1					

SUDOKU 135

LEVEL 1 2 3 4 5

				1				
	5				8		6	
	2			5				7
		8	9					3
		4		2		9		
6					3	8		
8				9			4	
	1		2				5	
				7				

LEVEL 1 2 3 4 5

	7							
					6			1
		9		5			8	2
		1	3					7
		7				4		
6					5	3		
3	2			4		5		
1			8					
							3	

SUDOKU 137

LEVEL 1 2 3 4 5

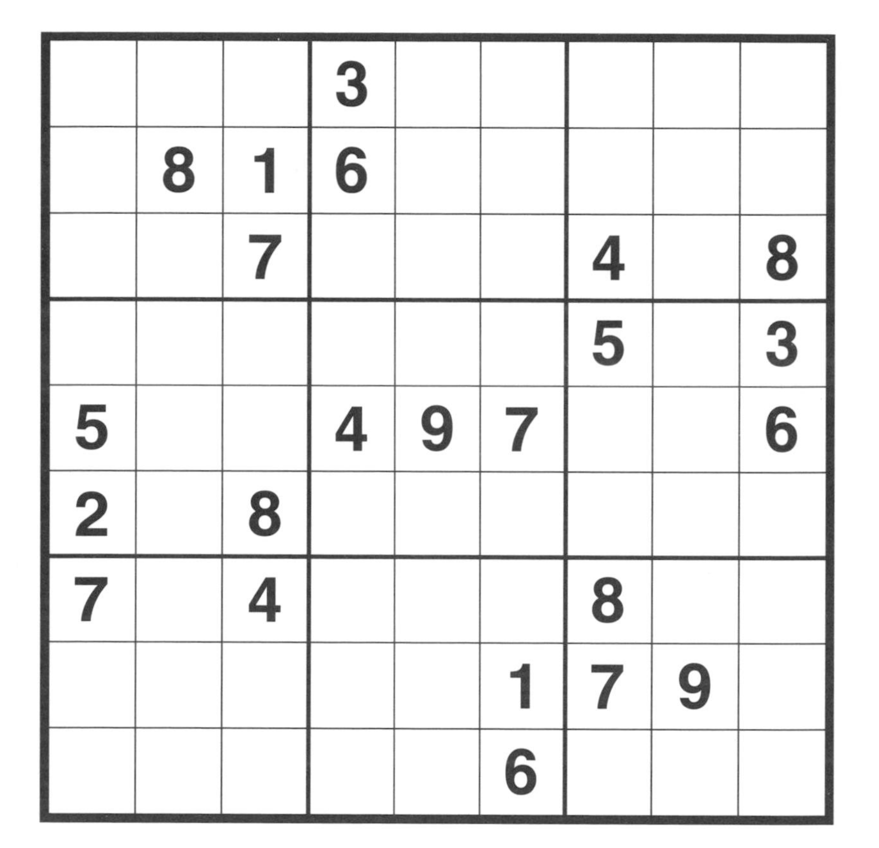

			3					
	8	1	6					
		7				4		8
						5		3
5			4	9	7			6
2		8						
7		4				8		
					1	7	9	
					6			

LEVEL 1 2 3 **4** 5

								2
			8			6		4
	1			9	3			
			2			7		8
		2		5		9		
3		1			6			
			3	4			5	
4		3			7			
8								

LEVEL 1 2 3 4 5

9	3				2			
	1			8				
						8	6	9
			7					5
		5		4		7		
1					6			
4	5	6						
				6			9	
			8				7	3

			5					
		2						4
				1		5		3
	8			6			9	
	2	1		8		7	6	
	5			7			2	
4		3		9				
7						6		
					3			

SUDOKU |41|

LEVEL 1 2 3 4 5

	3							
		7			3		4	
			6		2		8	
6	7				5			
3				8				2
			9				6	4
	9		7		4			
	5		1			3		
							5	

LEVEL 1 2 3 4 5

								9
8			6				7	
					2		3	
		4		7		3		2
		8		1		6		
1		3		2		7		
	6		3					
	1				8			6
2								

SUDOKU 143

LEVEL 1 2 3 4 5

	7							
		5				9		4
				4	3			
8			7	5			2	
		3		8		1		
	4			9	2			5
			8	7				
6		1				7		
							6	

LEVEL 1 2 3 4 5

		8						
			6	4		1		2
3			7					
9		2					4	
	5						2	
	6					7		5
					2			1
6		7		3	8			
						3		

LEVEL 1 2 3 4 5

			6			8		
				2			9	5
7			3					
3	5		1					
	7			8			5	
					9		4	6
					1			2
2	8			6				
		3			8			

LEVEL 1 2 3 4 5

							2	
5					4			
	4		5	3			8	6
			1		6		7	
2	6						4	8
	1		8		3			
7	8			5	9		1	
			6					9
	2							

LEVEL 1 2 3 4 5

	1	5		3	9			4
3					6	9		7
	5	8						
1				9				5
						3	8	
6		2	4					9
4			3	7		5	2	

LEVEL 1 2 3 4 5

5								
				3			2	9
6			2	5		1		3
		5			7			
1	2						4	6
			6			7		
4		9		8	3			2
3	5			6				
								7

LEVEL 1 2 3 4 5

3								
	6		7					
2				8	3	7		6
8					1	3		
1	5			4			6	2
		4	8					1
4		3	5	2				7
					7		1	
								5

LEVEL 1 2 3 4 5

								7
7				5	3			1
				7	4	9	6	
		3				1	7	
4				1				9
	8	7				4		
	7	8	2	3				
5			9	8				6
3								

LEVEL 1 2 3 4 5

		8			6			
9				7			4	
4						8		2
8		2			9			7
			7		3			
6			5			1		4
1		6						9
	8			1				3
			9			4		

LEVEL 1 2 3 4 5

				2		8	7	9
	5	4					1	
6	8		3	9				
3	2			6			9	1
				7	1		6	8
	3					9	2	
2	9	8		4				

SUDOKU 153

LEVEL 1 2 3 4 5

					2			9
		8						2
		1	5	6			3	
	4				8		2	3
		7		5		1		
1	9		7				8	
	5			7	4	3		
7						9		
8			6					

LEVEL 12345

								1
			5				8	2
	6	2		3			9	
1					8			3
	5		4	2	3		7	
7			6					4
	3			8		9	1	
2	7				5			
6								

SUDOKU 155

LEVEL 1 2 3 4 5

					4	5	3	
1	3		7				2	
3			1			8	7	
2			6	7	8			9
	7	8			3			2
	8				9		5	3
	6	1	5					

LEVEL 1 2 3 4 5

5					9			2
	8		4			5	3	1
	6			9				8
	9		8	5	1		4	
8				3			1	
3	2	1			5		7	
4			9					6

SUDOKU 157

LEVEL 1 2 3 4 5

		2			1		8	
	1			9				
3			8		6	2		7
					3			8
	7			2			5	
8			1					
6		7	3		5			4
				6			7	
	5		4			8		

LEVEL 1 2 3 4 5

				8	4		2	1
			7	2	5	9		
4	1					5		
	3		6	5	1		8	
		5					1	7
		3	4	7	9			
7	6		1	3				

SUDOKU 159

LEVEL 1 2 3 4 5

				6		4		
4					3			
		6	7	1				3
	1		5					6
	5			8			9	
8					1		4	
3				9	6	2		
			2					9
		8		3				

LEVEL 1 2 3 4 5

						3		
	9		7					8
			8		1	6	2	7
			1			7		5
			9	4	2			
8		3			5			
5	3	8	2		9			
6					7		1	
		1						

LEVEL 12345

		2	3					
					7	1		9
	8			2			6	3
				3		9	1	
7				9				6
	9	4		5				
5	1			8			3	
3		6	9					
					3	4		

LEVEL 1 2 3 4 5

8		2						
5	7							
		3		4	2			
		5	8			9		2
		9	7	5	3	6		
6		4			1	7		
			1	8		2		
							4	5
						1		9

SUDOKU 163

LEVEL 1 2 3 4 5

					9	5	6	
			3		8	1	9	2
2	8		7			4		
1				2				9
		9			3		2	7
6	2	7	4		5			
	5	1	6					

LEVEL 1 2 3 4 5

		2						
6			1	7				4
			2		3	8		
9		3			1			8
		4		2		7		
7			4			5		6
		1	6		2			
4				9	7			2
						9		

SUDOKU 165

LEVEL 1 2 3 4 5

5		7			8			
9	2		3	5				1
	5		1			8		6
	8			2			5	
1		2			6		9	
4				6	9		3	8
			8			6		9

SUDOKU 166

LEVEL 12345

							1	
3			1			9		
	1	6		8				5
8					1	5	9	
7				2				4
	5	2	8					1
9				5		1	3	
		5			4			7
	7							

SOLUTIONS

SUDOKU 1

2	8	1	3	6	9	7	4	5
4	3	5	2	7	8	1	9	6
7	9	6	4	1	5	8	2	3
5	2	7	6	9	4	3	8	1
8	1	9	7	5	3	4	6	2
6	4	3	8	2	1	5	7	9
9	5	2	1	8	7	6	3	4
3	6	8	5	4	2	9	1	7
1	7	4	9	3	6	2	5	8

SUDOKU 2

1	5	3	9	8	7	2	4	6
8	2	9	5	4	6	1	7	3
4	6	7	3	1	2	5	9	8
5	9	6	8	7	1	4	3	2
3	8	4	6	2	9	7	1	5
2	7	1	4	3	5	8	6	9
9	4	2	1	6	8	3	5	7
7	3	5	2	9	4	6	8	1
6	1	8	7	5	3	9	2	4

SUDOKU 3

8	4	6	9	3	1	5	2	7
2	9	5	7	6	8	3	1	4
1	3	7	2	4	5	9	8	6
3	2	1	5	9	6	7	4	8
6	5	9	8	7	4	2	3	1
7	8	4	3	1	2	6	5	9
9	1	8	6	2	3	4	7	5
4	7	2	1	5	9	8	6	3
5	6	3	4	8	7	1	9	2

SUDOKU 4

4	3	2	7	8	6	1	9	5
8	1	6	9	5	4	2	3	7
5	7	9	3	2	1	8	4	6
6	5	3	4	1	2	7	8	9
1	8	4	5	7	9	6	2	3
2	9	7	6	3	8	5	1	4
7	6	1	8	4	3	9	5	2
3	2	5	1	9	7	4	6	8
9	4	8	2	6	5	3	7	1

SUDOKU 5

8	2	4	6	5	3	1	9	7
5	6	1	9	8	7	3	2	4
3	9	7	4	1	2	6	5	8
4	1	5	2	7	6	9	8	3
9	7	8	5	3	4	2	6	1
6	3	2	1	9	8	7	4	5
2	5	6	7	4	1	8	3	9
1	4	3	8	2	9	5	7	6
7	8	9	3	6	5	4	1	2

SUDOKU 6

3	4	7	2	8	6	9	1	5
6	9	1	7	4	5	2	8	3
5	2	8	1	3	9	4	7	6
9	6	2	3	7	1	8	5	4
4	7	3	9	5	8	1	6	2
8	1	5	6	2	4	7	3	9
2	3	6	4	1	7	5	9	8
7	5	9	8	6	2	3	4	1
1	8	4	5	9	3	6	2	7

SUDOKU 7

8	7	4	2	5	3	6	9	1
3	2	6	1	9	7	4	8	5
9	1	5	6	8	4	2	7	3
2	6	3	4	1	9	7	5	8
4	9	8	7	2	5	1	3	6
7	5	1	3	6	8	9	2	4
6	8	7	5	4	2	3	1	9
1	3	9	8	7	6	5	4	2
5	4	2	9	3	1	8	6	7

SUDOKU 8

3	2	8	5	9	4	1	6	7
6	9	1	3	8	7	2	5	4
7	4	5	1	6	2	3	8	9
9	8	2	7	5	3	6	4	1
1	7	6	8	4	9	5	2	3
5	3	4	6	2	1	9	7	8
4	1	3	2	7	6	8	9	5
2	5	7	9	1	8	4	3	6
8	6	9	4	3	5	7	1	2

SUDOKU 9

6	1	7	2	9	5	8	3	4
2	3	8	4	1	7	5	9	6
9	5	4	3	8	6	7	2	1
3	4	9	6	7	2	1	8	5
8	6	5	9	3	1	4	7	2
1	7	2	8	5	4	3	6	9
4	2	1	7	6	8	9	5	3
7	9	6	5	4	3	2	1	8
5	8	3	1	2	9	6	4	7

SUDOKU 10

2	7	3	6	5	9	4	8	1
5	4	9	8	1	3	2	7	6
1	6	8	2	7	4	9	5	3
8	1	7	9	6	5	3	2	4
9	5	6	3	4	2	8	1	7
3	2	4	1	8	7	6	9	5
7	8	5	4	2	6	1	3	9
4	9	1	5	3	8	7	6	2
6	3	2	7	9	1	5	4	8

SUDOKU 11

4	7	8	1	5	3	9	6	2
1	5	9	2	7	6	8	4	3
2	3	6	9	8	4	5	7	1
3	4	5	6	9	1	7	2	0
6	8	1	5	2	7	4	3	9
9	2	7	4	3	8	1	5	6
8	1	4	3	6	5	2	9	7
7	6	2	8	4	9	3	1	5
5	9	3	7	1	2	6	8	4

SUDOKU 12

1	4	5	8	6	3	7	2	9
6	9	7	5	2	4	3	8	1
8	3	2	1	9	7	5	4	6
2	6	8	4	7	5	9	1	3
4	1	9	3	8	6	2	7	5
7	5	3	2	1	9	8	6	4
5	2	4	7	3	1	6	9	8
9	7	1	6	5	8	4	3	2
3	8	6	9	4	2	1	5	7

SUDOKU 13

9	7	4	2	3	6	1	5	8
2	8	5	1	7	4	6	9	3
1	3	6	5	8	9	2	7	4
6	5	1	4	9	2	3	8	7
8	4	7	3	1	5	9	6	2
3	2	9	7	6	8	5	4	1
4	9	2	8	5	1	7	3	6
5	1	3	6	4	7	8	2	9
7	6	8	9	2	3	4	1	5

SUDOKU 14

8	5	2	6	7	4	3	9	1
1	7	6	3	9	2	8	5	4
9	4	3	8	5	1	7	2	6
3	6	1	5	4	7	9	8	2
2	9	4	1	3	8	5	6	7
7	8	5	2	6	9	1	4	3
4	2	8	9	1	3	6	7	5
6	3	9	7	2	5	4	1	8
5	1	7	4	8	6	2	3	9

SUDOKU 15

1	3	6	8	2	9	7	4	5
8	7	4	6	5	3	9	2	1
5	2	9	4	7	1	6	8	3
4	5	1	2	6	8	3	9	7
3	6	8	5	9	7	4	1	2
7	9	2	3	1	4	5	6	8
6	4	3	1	8	5	2	7	9
2	1	7	9	3	6	8	5	4
9	8	5	7	4	2	1	3	6

SUDOKU 16

6	2	1	7	8	5	9	4	3
5	4	8	6	3	9	2	7	1
7	3	9	2	1	4	8	5	6
4	6	5	3	9	2	1	8	7
2	1	3	8	4	7	6	9	5
8	9	7	5	6	1	4	3	2
9	8	2	1	7	3	5	6	4
3	5	4	9	2	6	7	1	8
1	7	6	4	5	8	3	2	9

SUDOKU 17

9	5	7	2	1	3	4	8	6
6	1	3	9	4	8	7	5	2
8	4	2	6	5	7	3	1	9
3	6	8	5	9	1	2	7	4
1	7	4	3	2	6	5	9	8
2	9	5	8	7	4	1	6	3
7	3	9	4	8	5	6	2	1
4	2	1	7	6	9	8	3	5
5	8	6	1	3	2	9	4	7

SUDOKU 18

4	7	8	6	5	2	9	3	1
2	5	9	1	8	3	6	7	4
1	6	3	4	9	7	2	8	5
3	1	5	8	2	4	7	9	6
8	4	2	9	7	6	5	1	3
7	9	6	5	3	1	4	2	8
9	3	4	2	1	5	8	6	7
5	2	1	7	6	8	3	4	9
6	8	7	3	4	9	1	5	2

SUDOKU 19

6	8	3	5	7	9	2	1	4
2	9	7	6	1	4	3	5	8
1	4	5	8	3	2	9	6	7
4	3	1	2	8	5	7	9	6
8	2	6	7	9	3	5	4	1
5	7	9	4	6	1	8	2	3
9	6	4	3	2	7	1	8	5
3	1	8	9	5	6	4	7	2
7	5	2	1	4	8	6	3	9

SUDOKU 20

8	5	4	7	1	9	3	2	6
2	6	9	4	8	3	1	5	7
7	1	3	5	2	6	4	9	8
4	3	1	6	5	8	9	7	2
6	8	7	1	9	2	5	3	4
9	2	5	3	7	4	6	8	1
5	4	8	2	3	1	7	6	9
3	9	6	8	4	7	2	1	5
1	7	2	9	6	5	8	4	3

SUDOKU 21

7	5	4	2	3	9	6	1	8
9	2	8	7	1	6	4	5	3
6	1	3	8	5	4	7	2	9
1	4	6	9	7	2	8	3	5
8	9	5	1	6	3	2	4	7
3	7	2	4	8	5	1	9	6
5	8	1	3	2	7	9	6	4
2	6	9	5	4	8	3	7	1
4	3	7	6	9	1	5	8	2

SUDOKU 22

6	5	1	4	2	9	3	7	8
8	4	9	6	3	7	5	1	2
7	3	2	8	1	5	6	9	4
5	8	3	9	7	2	1	4	6
9	7	4	3	6	1	8	2	5
1	2	6	5	4	8	7	3	9
4	9	7	1	8	6	2	5	3
2	6	5	7	9	3	4	8	1
3	1	8	2	5	4	9	6	7

SUDOKU 23

2	1	9	8	4	7	3	5	6
6	5	7	9	2	3	8	4	1
3	4	8	6	5	1	9	2	7
4	2	3	5	1	6	7	8	9
8	7	6	3	9	4	5	1	2
1	9	5	7	8	2	6	3	4
5	8	2	4	7	9	1	6	3
7	3	1	2	6	5	4	9	8
9	6	4	1	3	8	2	7	5

SUDOKU 24

9	8	4	5	7	3	2	6	1
5	6	7	2	4	1	3	8	9
2	1	3	9	8	6	5	7	4
6	7	1	4	9	5	8	2	3
8	3	2	6	1	7	4	9	5
4	5	9	3	2	8	7	1	6
7	4	6	8	5	9	1	3	2
1	9	5	7	3	2	6	4	8
3	2	8	1	6	4	9	5	7

SUDOKU 25

2	6	1	5	7	3	9	8	4
5	9	4	8	6	2	1	3	7
3	7	8	4	9	1	5	2	6
9	5	3	6	1	4	2	7	8
4	1	7	2	5	8	3	6	9
8	2	6	9	3	7	4	5	1
6	8	2	1	4	5	7	9	3
7	4	5	3	8	9	6	1	2
1	3	9	7	2	6	8	4	5

SUDOKU 26

7	4	9	2	6	5	3	1	8
8	2	3	7	1	4	5	6	9
5	6	1	3	8	9	4	7	2
1	5	6	9	4	3	2	8	7
3	9	7	5	2	8	6	4	1
4	8	2	1	7	6	9	5	3
2	7	4	6	3	1	8	9	5
6	3	5	8	9	7	1	2	4
9	1	8	4	5	2	7	3	6

SUDOKU 27

1	5	8	2	9	7	6	3	4
3	6	2	5	4	8	9	1	7
7	4	9	3	6	1	5	8	2
6	7	5	4	8	3	1	2	9
2	1	3	9	7	5	8	4	6
8	9	4	6	1	2	7	5	3
9	3	6	8	5	4	2	7	1
5	2	1	7	3	6	4	9	8
4	8	7	1	2	9	3	6	5

SUDOKU 28

6	8	7	5	2	1	4	3	9
5	3	2	4	9	6	1	7	8
1	4	9	8	3	7	2	6	5
8	2	4	7	6	5	9	1	3
9	1	3	2	8	4	6	5	7
7	5	6	3	1	9	8	2	4
4	6	5	1	7	8	3	9	2
2	9	8	6	5	3	7	4	1
3	7	1	9	4	2	5	8	6

SUDOKU 29

3	8	6	5	7	4	9	1	2
9	2	1	6	8	3	4	7	5
5	7	4	9	1	2	6	8	3
8	4	2	3	5	6	7	9	1
1	5	3	4	9	7	8	2	6
6	9	7	1	2	8	5	3	4
7	1	5	2	6	9	3	4	8
2	3	9	8	4	5	1	6	7
4	6	8	7	3	1	2	5	9

SUDOKU 30

7	1	2	6	5	8	4	9	3
3	5	9	1	4	2	6	7	8
4	8	6	3	7	9	5	1	2
1	6	3	8	2	7	9	4	5
8	7	4	9	3	5	2	6	1
9	2	5	4	1	6	8	3	7
2	3	8	7	9	4	1	5	6
6	9	1	5	8	3	7	2	4
5	4	7	2	6	1	3	8	9

SUDOKU 31

7	2	5	9	6	8	3	1	4
1	3	4	5	2	7	9	8	6
6	8	9	1	3	4	7	5	2
3	7	1	4	9	5	6	2	8
9	5	6	2	8	1	4	3	7
8	4	2	6	7	3	1	9	5
4	9	3	7	5	2	8	6	1
5	1	8	3	4	6	2	7	9
2	6	7	8	1	9	5	4	3

SUDOKU 32

2	8	3	1	9	5	7	6	4
4	5	9	3	6	7	1	8	2
1	7	6	2	8	4	5	9	3
9	2	7	6	5	1	4	3	8
8	6	5	4	3	2	9	7	1
3	1	4	9	7	8	6	2	5
7	4	1	8	2	6	3	5	9
5	9	8	7	4	3	2	1	6
6	3	2	5	1	9	8	4	7

SUDOKU 33

9	5	7	8	2	4	3	1	6
3	6	8	1	5	7	9	2	4
4	2	1	9	3	6	5	8	7
7	9	6	4	8	5	1	3	2
8	1	3	6	9	2	4	7	5
5	4	2	3	7	1	6	9	8
1	8	5	2	6	9	7	4	3
2	7	4	5	1	3	8	6	9
6	3	9	7	4	8	2	5	1

SUDOKU 34

1	2	6	7	4	5	9	8	3
4	7	9	3	2	8	6	1	5
3	8	5	1	9	6	2	4	7
9	1	4	5	3	2	8	7	6
2	5	3	8	6	7	4	9	1
7	6	8	9	1	4	3	5	2
8	4	1	6	5	3	7	2	9
6	9	7	2	8	1	5	3	4
5	3	2	4	7	9	1	6	8

SUDOKU 35

2	4	9	7	3	1	6	8	5
6	5	3	8	4	9	1	7	2
8	7	1	2	5	6	3	9	4
7	3	2	5	1	8	9	4	6
9	1	8	6	2	4	7	5	3
4	6	5	3	9	7	8	2	1
1	2	4	9	7	3	5	6	8
3	8	7	4	6	5	2	1	9
5	9	6	1	8	2	4	3	7

SUDOKU 36

5	1	4	7	8	2	3	6	9
9	2	7	1	6	3	5	8	4
8	6	3	5	9	4	7	1	2
6	4	1	8	7	5	9	2	3
2	7	9	3	4	1	6	5	8
3	8	5	9	2	6	1	4	7
1	5	2	4	3	7	8	9	6
4	3	8	6	5	9	2	7	1
7	9	6	2	1	8	4	3	5

SUDOKU 37

3	7	9	8	5	2	4	6	1
8	6	5	7	1	4	2	3	9
4	1	2	6	9	3	8	7	5
1	8	3	4	6	5	9	2	7
2	4	7	3	8	9	1	5	6
9	5	6	2	7	1	3	4	8
5	3	8	9	2	6	7	1	4
6	9	4	1	3	7	5	8	2
7	2	1	5	4	8	6	9	3

SUDOKU 38

9	2	5	6	7	8	3	4	1
8	4	6	3	1	5	2	7	9
3	1	7	4	2	9	5	6	8
7	6	1	2	3	4	8	9	5
4	8	3	9	5	1	6	2	7
5	9	2	7	8	6	4	1	3
1	7	8	5	6	2	9	3	4
6	5	4	1	9	3	7	8	2
2	3	9	8	4	7	1	5	6

SUDOKU 39

6	8	7	1	3	5	4	2	9
9	5	3	7	2	4	6	1	8
4	2	1	8	9	6	5	7	3
8	3	9	5	6	7	2	4	1
2	1	6	4	8	9	7	3	5
7	4	5	3	1	2	8	9	6
1	6	4	2	5	3	9	8	7
5	7	8	9	4	1	3	6	2
3	9	2	6	7	8	1	5	4

SUDOKU 40

8	3	6	4	9	5	1	7	2
1	9	7	6	2	8	3	5	4
5	2	4	7	1	3	6	8	9
9	5	8	1	3	7	2	4	6
7	4	3	8	6	2	5	9	1
6	1	2	5	4	9	8	3	7
4	8	5	2	7	6	9	1	3
3	6	1	9	8	4	7	2	5
2	7	9	3	5	1	4	6	8

SUDOKU 41

9	4	7	6	8	1	3	2	5
3	1	5	7	4	2	6	9	8
6	2	8	9	5	3	4	1	7
1	6	2	3	9	8	7	5	4
5	7	3	2	1	4	9	8	6
4	8	9	5	7	6	1	3	2
7	5	1	4	2	9	8	6	3
2	9	6	8	3	7	5	4	1
8	3	4	1	6	5	2	7	9

SUDOKU 42

7	9	2	1	3	5	6	8	4
5	3	6	9	4	8	7	1	2
4	1	8	6	2	7	5	3	9
9	2	4	3	6	1	8	5	7
3	5	7	8	9	2	1	4	6
6	8	1	7	5	4	2	9	3
8	6	5	4	7	9	3	2	1
2	7	9	5	1	3	4	6	8
1	4	3	2	8	6	9	7	5

SUDOKU 43

5	8	4	2	3	9	6	7	1
2	3	1	8	6	7	9	5	4
9	7	6	1	5	4	2	8	3
8	6	2	3	7	5	4	1	9
4	5	7	9	1	6	8	3	2
3	1	9	4	2	8	5	6	7
7	2	8	6	9	1	3	4	5
1	4	3	5	8	2	7	9	6
6	9	5	7	4	3	1	2	8

SUDOKU 44

7	5	1	4	3	8	6	2	9
6	3	2	9	7	5	8	4	1
9	8	4	2	1	6	5	7	3
2	6	3	1	5	9	4	8	7
4	7	8	3	6	2	1	9	5
1	9	5	7	8	4	2	3	6
3	4	7	6	2	1	9	5	8
5	1	9	8	4	7	3	6	2
8	2	6	5	9	3	7	1	4

SUDOKU 45

3	7	5	6	4	9	2	8	1
6	4	2	8	5	1	3	9	7
8	1	9	2	3	7	5	4	6
9	5	6	1	7	8	4	2	3
4	3	1	5	2	6	8	7	9
7	2	8	4	9	3	1	6	5
1	6	4	7	8	5	9	3	2
5	8	3	9	6	2	7	1	4
2	9	7	3	1	4	6	5	8

SUDOKU 46

6	2	5	7	3	9	4	8	1
9	4	8	2	5	1	3	7	6
7	1	3	6	8	4	2	9	5
8	5	6	9	7	3	1	4	2
1	3	2	8	4	5	7	6	9
4	7	9	1	6	2	5	3	8
3	6	4	5	2	8	9	1	7
5	8	1	4	9	7	6	2	3
2	9	7	3	1	6	8	5	4

SUDOKU 47

7	9	6	4	2	5	8	1	3
1	2	3	7	8	9	6	4	5
4	5	8	1	3	6	9	2	7
6	4	9	8	5	3	2	7	1
3	1	2	6	9	7	5	8	4
5	8	7	2	4	1	3	6	9
2	7	5	3	1	8	4	9	6
9	6	4	5	7	2	1	3	8
8	3	1	9	6	4	7	5	2

SUDOKU 48

9	8	0	1	7	5	0	4	2
4	7	2	6	3	9	8	1	5
5	1	3	2	4	8	7	9	6
1	2	7	8	9	4	6	5	3
8	6	9	3	5	2	4	7	1
3	4	5	7	6	1	9	2	8
2	3	4	5	8	7	1	6	9
6	9	1	4	2	3	5	8	7
7	5	8	9	1	6	2	3	4

SOLUTIONS

SUDOKU 49

7	9	8	6	5	4	1	3	2
2	1	4	3	9	7	8	6	5
6	5	3	1	2	8	7	4	9
4	8	1	9	6	5	2	7	3
9	3	7	4	8	2	5	1	6
5	2	6	7	3	1	9	8	4
1	6	5	2	7	3	4	9	8
8	4	9	5	1	6	3	2	7
3	7	2	8	4	9	6	5	1

SUDOKU 50

6	8	7	3	9	2	5	4	1
5	1	4	8	7	6	3	2	9
9	2	3	5	4	1	7	6	8
4	5	2	1	3	7	9	8	6
1	3	6	2	8	9	4	7	5
7	9	8	4	6	5	1	3	2
3	7	5	9	2	8	6	1	4
2	6	1	7	5	4	8	9	3
8	4	9	6	1	3	2	5	7

SUDOKU 51

2	3	1	7	5	9	8	6	4
7	5	4	6	2	8	9	1	3
8	6	9	1	4	3	5	2	7
6	4	7	9	1	5	3	8	2
3	9	8	4	7	2	1	5	6
5	1	2	3	8	6	4	7	9
9	8	3	5	6	7	2	4	1
1	2	6	8	9	4	7	3	5
4	7	5	2	3	1	6	9	8

SUDOKU 52

3	6	1	5	4	7	9	2	8
5	9	4	8	6	2	7	3	1
2	8	7	9	1	3	6	4	5
9	3	6	1	2	4	8	5	7
1	4	2	7	8	5	3	9	6
7	5	8	6	3	9	2	1	4
4	7	5	3	9	6	1	8	2
8	2	3	4	7	1	5	6	9
6	1	9	2	5	8	4	7	3

SUDOKU 53

4	1	8	3	5	6	9	2	7
9	7	3	8	4	2	6	1	5
6	2	5	9	1	7	8	4	3
8	9	7	4	3	1	2	5	6
2	4	1	6	8	5	7	3	9
5	3	6	2	7	9	4	8	1
3	6	2	5	9	4	1	7	8
1	8	9	7	2	3	5	6	4
7	5	4	1	6	8	3	9	2

SUDOKU 54

4	6	8	2	3	9	1	7	5
1	7	9	8	5	4	3	6	2
3	5	2	6	1	7	9	8	4
7	8	5	3	2	6	4	9	1
6	4	3	7	9	1	2	5	8
2	9	1	5	4	8	7	3	6
9	1	6	4	7	5	8	2	3
5	3	4	9	8	2	6	1	7
8	2	7	1	6	3	5	4	9

SUDOKU 55

2	3	6	8	9	7	4	5	1
7	5	8	1	4	2	6	3	9
4	9	1	5	6	3	8	7	2
6	2	5	7	1	4	3	9	8
9	4	7	3	2	8	5	1	6
1	8	3	9	5	6	7	2	4
5	1	4	6	3	9	2	8	7
3	7	2	4	8	1	9	6	5
8	6	9	2	7	5	1	4	3

SUDOKU 56

4	1	5	3	6	8	7	9	2
7	9	3	4	5	2	8	1	6
2	8	6	7	1	9	4	5	3
6	4	1	5	7	3	2	8	9
3	5	9	8	2	6	1	7	4
8	2	7	1	9	4	3	6	5
1	3	4	9	8	5	6	2	7
5	7	2	6	3	1	9	4	8
9	6	8	2	4	7	5	3	1

SUDOKU 57

7	5	2	4	1	9	8	3	6
6	1	3	8	5	7	2	9	4
4	8	9	6	3	2	1	7	5
1	4	7	9	2	6	5	8	3
5	3	8	1	7	4	9	6	2
9	2	6	3	8	5	4	1	7
2	9	5	7	6	1	3	4	8
3	6	1	2	4	8	7	5	9
8	7	4	5	9	3	6	2	1

SUDOKU 58

3	7	2	5	4	6	8	1	9
5	8	9	3	7	1	6	4	2
1	4	6	2	9	8	7	5	3
6	2	4	8	3	9	1	7	5
9	5	3	1	6	7	2	8	4
8	1	7	4	2	5	9	3	6
2	3	1	6	8	4	5	9	7
4	9	5	7	1	2	3	6	8
7	6	8	9	5	3	4	2	1

SUDOKU 59

4	5	8	1	7	9	6	2	3
2	1	9	3	4	6	5	7	8
7	6	3	2	5	8	4	9	1
8	9	2	6	3	1	7	4	5
1	3	7	5	2	4	9	8	6
6	4	5	8	9	7	1	3	2
5	7	6	4	8	2	3	1	9
9	8	1	7	6	3	2	5	4
3	2	4	9	1	5	8	6	7

SUDOKU 60

5	4	7	1	9	6	2	3	8
8	9	6	2	3	4	7	5	1
1	3	2	7	5	8	9	6	4
7	2	4	9	1	5	6	8	3
6	8	9	4	7	3	1	2	5
3	5	1	6	8	2	4	7	9
9	1	5	3	2	7	8	4	6
4	7	3	8	6	1	5	9	2
2	6	8	5	4	9	3	1	7

SUDOKU 61

9	1	3	6	2	4	7	8	5
5	8	2	9	7	3	6	1	4
7	6	4	8	5	1	3	9	2
1	4	9	5	3	2	8	6	7
2	7	6	1	8	9	4	5	3
8	3	5	7	4	6	1	2	9
4	2	1	3	6	5	9	7	8
6	5	7	4	9	8	2	3	1
3	9	8	2	1	7	5	4	6

SUDOKU 62

7	1	2	3	4	5	9	8	6
9	8	6	1	2	7	5	3	4
4	3	5	9	8	6	2	1	7
8	5	9	2	7	4	3	6	1
3	6	4	8	9	1	7	2	5
2	7	1	5	6	3	4	9	8
1	4	8	7	3	2	6	5	9
5	2	7	6	1	9	8	4	3
6	9	3	4	5	8	1	7	2

SUDOKU 63

1	6	3	5	7	8	2	4	9
4	7	2	1	6	9	8	3	5
5	8	9	4	2	3	1	6	7
9	3	7	6	8	1	4	5	2
2	4	6	3	5	7	9	8	1
8	1	5	2	9	4	6	7	3
3	2	1	7	4	6	5	9	8
7	9	4	8	1	5	3	2	6
6	5	8	9	3	2	7	1	4

SUDOKU 64

3	8	7	1	5	9	2	4	6
2	9	5	8	6	4	7	1	3
6	4	1	7	3	2	5	8	9
5	2	3	6	9	8	1	7	4
4	1	9	5	7	3	6	2	8
8	7	6	2	4	1	3	9	5
1	3	2	4	8	6	9	5	7
9	5	4	3	2	7	8	6	1
7	6	8	9	1	5	4	3	2

SUDOKU 65

3	1	4	7	5	6	2	8	9
6	7	8	3	2	9	1	5	4
5	2	9	1	4	8	7	6	3
2	3	5	4	9	1	8	7	6
4	6	1	2	8	7	3	9	5
9	8	7	5	6	3	4	1	2
1	5	6	8	3	2	9	4	7
8	4	2	9	7	5	6	3	1
7	9	3	6	1	4	5	2	8

SUDOKU 69

7	9	5	8	4	2	1	3	6
6	3	2	5	7	1	8	4	9
1	8	4	6	9	3	2	5	7
2	5	6	3	1	8	9	7	4
8	4	7	2	6	9	3	1	5
3	1	9	4	5	7	6	2	8
4	2	3	7	8	6	5	9	1
9	7	8	1	3	5	4	6	2
5	6	1	9	2	4	7	8	3

SUDOKU 66

7	2	8	3	9	1	6	4	5
1	4	9	2	5	6	7	8	3
6	3	5	4	7	8	1	9	2
5	7	3	9	1	4	8	2	6
8	1	6	7	2	5	9	3	4
4	9	2	8	6	3	5	7	1
9	6	7	1	3	2	4	5	8
2	5	4	6	8	9	3	1	7
3	8	1	5	4	7	2	6	9

SUDOKU 70

8	7	3	4	2	6	1	5	9
9	6	2	3	1	5	8	7	4
1	4	5	9	7	8	3	6	2
7	1	8	5	6	9	4	2	3
5	2	4	8	3	7	6	9	1
3	9	6	1	4	2	7	8	5
6	3	9	7	5	4	2	1	8
2	8	1	6	9	3	5	4	7
4	5	7	2	8	1	9	3	6

SUDOKU 67

6	4	2	9	5	7	8	3	1
5	1	8	3	4	2	9	7	6
9	3	7	1	8	6	2	5	4
1	2	5	6	9	8	3	4	7
8	7	4	2	1	3	6	9	5
3	9	6	5	7	4	1	2	8
4	5	3	8	6	9	7	1	2
7	8	9	4	2	1	5	6	3
2	6	1	7	3	5	4	8	9

SUDOKU 71

7	3	8	1	2	6	5	9	4
4	5	9	8	7	3	1	2	6
1	2	6	4	5	9	7	3	8
5	6	3	9	4	2	8	1	7
9	1	2	7	8	5	4	6	3
8	4	7	3	6	1	9	5	2
2	8	5	6	9	7	3	4	1
3	9	4	2	1	8	6	7	5
6	7	1	5	3	4	2	8	9

SUDOKU 68

6	3	5	2	8	9	1	7	4
8	7	9	4	3	1	6	5	2
4	2	1	6	5	7	8	9	3
9	5	6	3	2	4	7	1	8
1	8	3	9	7	6	2	4	5
7	4	2	8	1	5	3	6	9
3	9	4	7	6	2	5	8	1
5	6	8	1	4	3	9	2	7
2	1	7	5	9	8	4	3	6

SUDOKU 72

4	3	7	9	8	6	2	1	5
6	5	9	2	3	1	4	7	8
1	2	8	7	4	5	9	6	3
7	9	1	6	5	4	3	8	2
8	4	3	1	2	7	5	9	6
5	6	2	8	9	3	1	4	7
3	1	4	5	7	8	6	2	9
9	7	5	4	6	2	8	3	1
2	8	6	3	1	9	7	5	4

SUDOKU 73

8	1	9	5	3	7	2	6	4
2	7	3	4	6	8	5	1	9
4	5	6	1	2	9	8	3	7
9	8	7	6	1	4	3	5	2
1	3	5	9	7	2	6	4	8
6	2	4	8	5	3	9	7	1
5	4	8	3	9	1	7	2	6
7	6	1	2	8	5	4	9	3
3	9	2	7	4	6	1	8	5

SUDOKU 74

7	8	4	6	3	1	5	2	9
9	6	3	5	4	2	8	1	7
5	1	2	9	7	8	6	3	4
4	5	1	7	8	3	9	6	2
6	2	9	4	1	5	7	8	3
8	3	7	2	9	6	4	5	1
2	9	8	1	5	4	3	7	6
3	7	6	8	2	9	1	4	5
1	4	5	3	6	7	2	9	8

SUDOKU 75

9	7	1	3	5	8	6	2	4
5	4	2	6	9	7	8	3	1
3	6	8	1	4	2	9	5	7
1	8	7	5	3	9	2	4	6
4	5	6	2	8	1	7	9	3
2	3	9	4	7	6	5	1	8
6	1	4	8	2	5	3	7	9
7	2	3	9	6	4	1	8	5
8	9	5	7	1	3	4	6	2

SUDOKU 76

9	8	3	6	4	1	7	2	5
6	2	1	8	7	5	9	4	3
7	4	5	9	2	3	8	1	6
5	1	6	7	3	4	2	9	8
4	3	9	1	8	2	6	5	7
2	7	8	5	9	6	4	3	1
3	6	4	2	5	8	1	7	9
1	9	2	3	6	7	5	8	4
8	5	7	4	1	9	3	6	2

SUDOKU 77

7	9	1	3	8	2	4	5	6
5	8	4	6	1	7	2	9	3
3	6	2	5	9	4	8	7	1
8	7	3	4	2	6	5	1	9
6	2	9	7	5	1	3	8	4
4	1	5	8	3	9	6	2	7
9	3	7	2	6	5	1	4	8
2	4	8	1	7	3	9	6	5
1	5	6	9	4	8	7	3	2

SUDOKU 78

1	4	2	3	8	9	5	6	7
5	6	3	1	7	2	8	9	4
9	7	8	5	6	4	1	2	3
8	9	5	2	4	7	6	3	1
6	2	7	8	3	1	4	5	9
3	1	4	6	9	5	7	8	2
4	3	1	9	5	8	2	7	6
2	8	6	7	1	3	9	4	5
7	5	9	4	2	6	3	1	8

SUDOKU 79

1	7	5	2	3	4	6	9	8
9	3	8	6	7	5	4	2	1
4	2	6	8	1	9	3	5	7
5	8	9	1	6	3	7	4	2
3	4	2	9	5	7	8	1	6
6	1	7	4	8	2	9	3	5
8	5	4	7	9	1	2	6	3
7	9	3	5	2	6	1	8	4
2	6	1	3	4	8	5	7	9

SUDOKU 80

9	8	7	4	2	5	6	1	3
5	3	2	6	1	9	7	4	8
4	6	1	8	7	3	2	9	5
1	4	6	3	5	2	9	8	7
8	5	3	7	9	4	1	2	6
7	2	9	1	8	6	3	5	4
3	7	8	9	4	1	5	6	2
6	9	5	2	3	8	4	7	1
2	1	4	5	6	7	8	3	9

SUDOKU 81

4	5	1	7	9	8	6	3	2
3	8	2	6	1	5	7	4	9
7	6	9	3	4	2	5	1	8
5	1	3	9	8	4	2	7	6
9	7	6	1	2	3	8	5	4
2	4	8	5	6	7	3	9	1
1	9	5	8	3	6	4	2	7
8	2	7	4	5	1	9	6	3
6	3	4	2	7	9	1	8	5

SUDOKU 82

5	9	4	2	1	6	3	7	8
3	8	6	7	4	5	2	1	9
7	1	2	9	8	3	4	6	5
2	5	9	6	3	4	7	8	1
1	6	7	8	9	2	5	3	4
8	4	3	5	7	1	6	9	2
4	7	1	3	2	9	8	5	6
6	2	8	1	5	7	9	4	3
9	3	5	4	6	8	1	2	7

SUDOKU 83

5	6	1	4	7	3	2	8	9
3	2	4	9	6	8	1	7	5
9	8	7	5	1	2	3	6	4
2	1	5	3	8	7	4	9	6
6	3	9	2	5	4	7	1	8
4	7	8	6	9	1	5	2	3
7	9	3	8	2	5	6	4	1
1	4	6	7	3	9	8	5	2
8	5	2	1	4	6	9	3	7

SUDOKU 84

4	6	5	3	1	2	8	7	9
2	1	3	9	8	7	5	4	6
8	9	7	4	5	6	1	3	2
9	5	8	7	3	4	2	6	1
6	3	4	1	2	5	7	9	8
1	7	2	6	9	8	4	5	3
3	4	9	8	7	1	6	2	5
7	2	1	5	6	9	3	8	4
5	8	6	2	4	3	9	1	7

SUDOKU 85

2	6	1	7	3	5	9	4	8
7	8	9	2	6	4	5	3	1
3	5	4	8	9	1	6	2	7
1	2	3	5	4	9	7	8	6
9	7	6	1	2	8	4	5	3
8	4	5	6	7	3	1	9	2
4	1	8	3	5	6	2	7	9
6	9	7	4	8	2	3	1	5
5	3	2	9	1	7	8	6	4

SUDOKU 86

5	8	9	6	3	2	4	7	1
2	1	3	7	4	8	9	5	6
7	4	6	5	1	9	2	8	3
1	5	2	8	7	3	6	9	4
3	7	8	9	6	4	5	1	2
9	6	4	2	5	1	8	3	7
6	2	1	3	8	5	7	4	9
8	3	7	4	9	6	1	2	5
4	9	5	1	2	7	3	6	8

SUDOKU 87

6	7	1	8	3	5	2	9	4
9	5	2	6	7	4	1	8	3
4	8	3	2	9	1	6	7	5
3	1	8	4	2	7	5	6	9
2	6	7	9	5	8	3	4	1
5	4	9	3	1	6	8	2	7
1	2	6	5	4	9	7	3	8
8	9	5	7	6	3	4	1	2
7	3	4	1	8	2	9	5	6

SUDOKU 88

3	9	7	6	1	8	2	4	5
4	8	1	5	2	7	9	3	6
2	6	5	3	4	9	8	1	7
9	7	3	2	8	6	4	5	1
5	2	6	1	9	4	3	7	8
1	4	8	7	3	5	6	2	9
7	5	4	8	6	2	1	9	3
6	1	2	9	5	3	7	8	4
8	3	9	4	7	1	5	6	2

SUDOKU 89

3	8	9	6	4	5	2	7	1
4	6	7	9	1	2	5	8	3
2	5	1	8	3	7	4	9	6
6	3	5	4	9	8	1	2	7
1	7	8	3	2	6	9	4	5
9	4	2	7	5	1	6	3	8
5	9	4	1	7	3	8	6	2
8	2	3	5	6	9	7	1	4
7	1	6	2	8	4	3	5	9

SUDOKU 90

6	8	5	2	1	3	9	7	4
2	7	1	9	8	4	5	3	6
9	4	3	7	5	6	1	8	2
5	9	8	3	6	2	7	4	1
7	2	6	1	4	8	3	9	5
3	1	4	5	9	7	2	6	8
1	6	9	4	3	5	8	2	7
4	3	2	8	7	1	6	5	9
8	5	7	6	2	9	4	1	3

SUDOKU 91

1	2	4	3	5	6	9	8	7
7	5	9	2	8	1	6	4	3
8	6	3	9	7	4	1	5	2
5	3	2	1	9	8	4	7	6
9	4	1	5	6	7	3	2	8
6	7	8	4	2	3	5	9	1
3	1	7	8	4	5	2	6	9
2	8	5	6	3	9	7	1	4
4	9	6	7	1	2	8	3	5

SUDOKU 92

2	7	1	3	5	8	4	6	9
9	3	6	7	2	4	5	8	1
8	4	5	1	9	6	2	7	3
7	1	4	6	8	9	3	5	2
6	9	2	5	1	3	7	4	8
3	5	8	4	7	2	1	9	6
4	6	7	9	3	1	8	2	5
1	8	9	2	4	5	6	3	7
5	2	3	8	6	7	9	1	4

SUDOKU 93

2	3	1	6	9	8	7	4	5
6	7	9	4	2	5	1	3	8
8	4	5	3	1	7	2	9	6
1	6	4	2	8	9	3	5	7
9	5	8	1	7	3	6	2	4
3	2	7	5	4	6	8	1	9
5	1	6	8	3	4	9	7	2
7	8	2	9	5	1	4	6	3
4	9	3	7	6	2	5	8	1

SUDOKU 94

5	6	1	9	8	3	4	2	7
3	2	7	1	4	6	5	9	8
8	4	9	2	7	5	3	1	6
7	5	8	6	2	9	1	4	3
2	9	4	3	1	8	7	6	5
6	1	3	4	5	7	9	8	2
9	7	5	8	6	4	2	3	1
4	8	2	5	3	1	6	7	9
1	3	6	7	9	2	8	5	4

SUDOKU 95

7	3	5	2	8	4	6	9	1
9	1	2	5	7	6	3	8	4
4	8	6	1	9	3	2	5	7
3	4	7	6	2	8	9	1	5
2	5	9	3	4	1	7	6	8
1	6	8	9	5	7	4	3	2
8	9	1	7	3	2	5	4	6
5	2	4	8	6	9	1	7	3
6	7	3	4	1	5	8	2	9

SUDOKU 96

1	6	3	8	5	2	7	4	9
2	8	4	9	1	7	6	5	3
5	9	7	6	4	3	1	2	8
7	2	9	5	3	6	8	1	4
4	5	6	2	8	1	3	9	7
3	1	8	4	7	9	2	6	5
6	7	1	3	9	5	4	8	2
8	3	5	1	2	4	9	7	6
9	4	2	7	6	8	5	3	1

SUDOKU 97

3	9	4	6	1	7	5	8	2
2	7	1	5	8	4	6	9	3
5	6	8	9	2	3	7	1	4
6	8	3	2	4	5	9	7	1
7	1	2	3	6	9	8	4	5
9	4	5	1	7	8	3	2	6
4	3	6	7	9	1	2	5	8
8	2	7	4	5	6	1	3	9
1	5	9	8	3	2	4	6	7

SUDOKU 98

9	5	6	8	4	7	2	3	1
7	3	2	6	5	1	8	4	9
4	8	1	3	9	2	6	7	5
2	7	4	9	6	3	1	5	8
8	6	5	1	2	4	7	9	3
3	1	9	5	7	8	4	6	2
5	9	8	4	1	6	3	2	7
6	2	3	7	8	9	5	1	4
1	4	7	2	3	5	9	8	6

SUDOKU 99

9	1	8	7	2	6	3	4	5
4	7	5	3	1	8	9	6	2
3	6	2	5	4	9	7	8	1
2	4	3	6	8	1	5	9	7
1	8	6	9	5	7	4	2	3
5	9	7	2	3	4	8	1	6
8	5	4	1	6	3	2	7	9
6	3	9	8	7	2	1	5	4
7	2	1	4	9	5	6	3	8

SUDOKU 100

3	4	7	8	6	9	1	5	2
5	6	9	2	1	7	4	8	3
2	8	1	4	5	3	7	6	9
7	5	4	6	3	1	9	2	8
8	9	3	5	2	4	6	7	1
6	1	2	7	9	8	3	4	5
4	3	8	9	7	2	5	1	6
9	7	6	1	8	5	2	3	4
1	2	5	3	4	6	8	9	7

SUDOKU 101

7	4	9	8	2	5	6	3	1
5	6	1	9	3	4	2	7	8
8	3	2	1	6	7	4	5	9
9	8	5	2	4	3	7	1	6
3	2	7	6	1	8	5	9	4
6	1	4	7	5	9	3	8	2
1	5	3	4	8	2	9	6	7
2	9	6	5	7	1	8	4	3
4	7	8	3	9	6	1	2	5

SUDOKU 102

3	9	4	2	7	8	6	1	5
1	2	7	6	9	5	4	3	8
6	8	5	4	3	1	7	2	9
9	6	1	3	8	2	5	7	4
7	5	2	1	6	4	8	9	3
8	4	3	7	5	9	1	6	2
4	1	8	9	2	7	3	5	6
5	3	9	8	1	6	2	4	7
2	7	6	5	4	3	9	8	1

SUDOKU 103

2	5	4	3	9	6	7	1	8
1	8	3	7	4	5	9	2	6
9	6	7	2	8	1	3	4	5
7	4	2	8	1	9	5	6	3
6	3	9	5	2	4	8	7	1
5	1	8	6	3	7	4	9	2
4	2	6	9	5	3	1	8	7
3	7	1	4	6	8	2	5	9
8	9	5	1	7	2	6	3	4

SUDOKU 104

1	2	9	4	6	3	8	5	7
3	8	6	9	5	7	4	1	2
5	7	4	2	8	1	3	6	9
6	1	3	8	9	2	5	7	4
4	9	2	5	7	6	1	8	3
8	5	7	3	1	4	2	9	6
7	4	1	6	3	8	9	2	5
2	6	5	1	4	9	7	3	8
9	3	8	7	2	5	6	4	1

SUDOKU 105

3	4	8	2	6	5	7	9	1
9	1	6	8	7	3	5	4	2
7	5	2	1	9	4	6	8	3
4	3	7	6	5	9	2	1	8
8	2	5	4	1	7	9	3	6
6	9	1	3	8	2	4	7	5
2	6	3	9	4	8	1	5	7
1	7	4	5	3	6	8	2	9
5	8	9	7	2	1	3	6	4

SUDOKU 106

1	5	6	9	2	3	7	4	8
4	8	7	1	5	6	2	3	9
3	9	2	8	4	7	6	1	5
6	2	3	5	7	4	9	8	1
8	7	4	3	9	1	5	6	2
5	1	9	2	6	8	4	7	3
2	6	1	7	8	5	3	9	4
7	3	5	4	1	9	8	2	6
9	4	8	6	3	2	1	5	7

SUDOKU 107

2	8	3	1	5	7	9	4	6
6	4	7	9	3	8	1	2	5
1	5	9	6	4	2	3	8	7
4	7	5	8	9	3	2	6	1
8	3	2	7	1	6	4	5	9
9	6	1	4	2	5	8	7	3
3	9	8	5	6	4	7	1	2
5	2	4	3	7	1	6	9	8
7	1	6	2	8	9	5	3	4

SUDOKU 108

2	1	5	4	3	6	7	9	8
8	3	6	1	7	9	4	5	2
4	7	9	2	5	8	1	6	3
9	5	7	3	2	4	8	1	6
3	8	1	9	6	7	2	4	5
6	2	4	5	8	1	3	7	9
5	6	2	7	1	3	9	8	4
7	4	3	8	9	5	6	2	1
1	9	8	6	4	2	5	3	7

SUDOKU 109

6	5	7	1	8	3	2	4	9
9	3	1	2	4	6	8	7	5
2	8	4	7	9	5	1	3	6
4	1	9	3	6	8	5	2	7
7	6	8	5	2	4	9	1	3
3	2	5	9	1	7	6	8	4
1	7	6	8	3	9	4	5	2
8	9	3	4	5	2	7	6	1
5	4	2	6	7	1	3	9	8

SUDOKU 110

8	1	6	7	3	9	2	4	5
4	2	3	6	1	5	8	7	9
5	9	7	8	4	2	6	3	1
1	6	9	4	5	7	3	8	2
7	8	2	3	9	6	5	1	4
3	5	4	1	2	8	7	9	6
6	3	5	9	8	4	1	2	7
2	4	1	5	7	3	9	6	8
9	7	8	2	6	1	4	5	3

SUDOKU 111

6	4	9	2	7	8	5	1	3
2	1	7	5	3	6	8	9	4
3	8	5	1	9	4	2	7	6
8	5	6	9	4	2	7	3	1
9	2	4	7	1	3	6	5	8
1	7	3	8	6	5	4	2	9
7	9	8	6	2	1	3	4	5
4	6	2	3	5	9	1	8	7
5	3	1	4	8	7	9	6	2

SUDOKU 112

5	7	4	2	1	8	6	9	3
6	3	2	9	4	5	8	7	1
8	9	1	3	6	7	5	4	2
4	8	3	5	7	2	1	6	9
7	5	6	1	3	9	2	8	4
1	2	9	6	8	4	3	5	7
2	6	7	4	5	1	9	3	8
9	4	5	8	2	3	7	1	6
3	1	8	7	9	6	4	2	5

SUDOKU 113

4	7	8	6	5	9	3	1	2
3	9	6	2	1	7	4	5	8
2	5	1	8	3	4	7	6	9
7	4	3	1	6	2	9	8	5
9	1	5	7	8	3	2	4	6
8	6	2	9	4	5	1	3	7
1	2	4	5	9	6	8	7	3
5	3	9	4	7	8	6	2	1
6	8	7	3	2	1	5	9	4

SUDOKU 114

2	6	8	7	9	4	3	1	5
3	7	4	1	5	6	8	9	2
1	5	9	3	8	2	4	7	6
7	8	5	2	4	1	9	6	3
6	4	1	5	3	9	7	2	8
9	2	3	6	7	8	1	5	4
5	3	2	4	1	7	6	8	9
8	1	6	9	2	3	5	4	7
4	9	7	8	6	5	2	3	1

SUDOKU 115

4	7	9	2	5	8	3	6	1
1	6	8	4	3	9	5	7	2
2	5	3	6	7	1	4	9	8
9	2	1	5	8	4	7	3	6
3	4	6	7	9	2	8	1	5
5	8	7	1	6	3	9	2	4
7	9	5	8	1	6	2	4	3
8	1	2	3	4	7	6	5	9
6	3	4	9	2	5	1	8	7

SUDOKU 116

8	4	3	1	7	6	9	5	2
5	1	7	9	4	2	3	8	6
9	6	2	3	8	5	1	7	4
1	2	4	6	9	7	5	3	8
6	8	9	5	3	1	2	4	7
7	3	5	4	2	8	6	1	9
4	9	1	8	6	3	7	2	5
2	5	6	7	1	4	8	9	3
3	7	8	2	5	9	4	6	1

SUDOKU 117

4	3	9	1	8	7	2	6	5
7	1	8	6	2	5	4	9	3
6	5	2	3	9	4	7	8	1
3	7	5	2	6	9	1	4	8
1	9	4	5	3	8	6	2	7
2	8	6	7	4	1	3	5	9
8	4	1	9	7	2	5	3	6
9	6	7	4	5	3	8	1	2
5	2	3	8	1	6	9	7	4

SUDOKU 118

7	2	3	1	9	6	5	8	4
6	8	4	2	3	5	9	7	1
5	1	9	7	4	8	2	6	3
8	6	5	4	2	7	3	1	9
9	4	7	5	1	3	6	2	8
2	3	1	6	8	9	7	4	5
3	9	6	8	7	1	4	5	2
4	5	8	9	6	2	1	3	7
1	7	2	3	5	4	8	9	6

SUDOKU 119

6	4	1	9	7	5	8	3	2
3	2	7	1	8	4	6	5	9
8	5	9	2	3	6	1	7	4
4	8	6	3	5	2	7	9	1
1	7	5	4	6	9	3	2	8
9	3	2	7	1	8	4	6	5
5	1	3	8	9	7	2	4	6
7	9	4	6	2	1	5	8	3
2	6	8	5	4	3	9	1	7

SUDOKU 120

1	2	5	7	6	3	4	8	9
8	6	4	2	9	1	5	3	7
9	3	7	4	5	8	2	6	1
7	5	8	6	2	4	1	9	3
2	4	9	1	3	7	8	5	6
6	1	3	5	8	9	7	2	4
5	7	2	3	4	6	9	1	8
3	9	1	8	7	2	6	4	5
4	8	6	9	1	5	3	7	2

SUDOKU 121

4	9	1	8	3	5	2	6	7
6	7	8	2	4	1	5	9	3
5	3	2	6	9	7	4	1	8
1	2	9	4	7	8	6	3	5
3	5	7	9	6	2	1	8	4
8	4	6	5	1	3	9	7	2
7	8	4	1	2	6	3	5	9
2	1	3	7	5	9	8	4	6
9	6	5	3	8	4	7	2	1

SUDOKU 125

3	7	8	5	6	1	9	4	2
1	6	2	4	9	7	3	8	5
5	9	4	8	3	2	1	6	7
9	4	6	1	2	3	5	7	8
7	3	5	6	8	4	2	9	1
8	2	1	9	7	5	4	3	6
6	8	3	2	5	9	7	1	4
4	5	7	3	1	6	8	2	9
2	1	9	7	4	8	6	5	3

SUDOKU 122

1	5	8	7	2	9	6	3	4
6	4	3	5	8	1	2	9	7
2	9	7	4	3	6	8	5	1
7	3	6	1	9	8	5	4	2
4	1	9	2	6	5	3	7	8
5	8	2	3	7	4	1	6	9
3	2	1	9	5	7	4	8	6
9	6	4	8	1	3	7	2	5
8	7	5	6	4	2	9	1	3

SUDOKU 126

4	8	6	1	5	2	3	9	7
9	5	2	3	7	6	1	8	4
3	1	7	9	4	8	5	6	2
5	3	9	8	2	7	4	1	6
6	2	1	4	9	3	7	5	8
7	4	8	6	1	5	2	3	9
1	9	3	2	6	4	8	7	5
2	6	5	7	8	1	9	4	3
8	7	4	5	3	9	6	2	1

SUDOKU 123

5	1	2	3	8	9	4	6	7
6	8	3	4	7	2	5	9	1
4	7	9	1	5	6	8	2	3
0	6	4	5	2	7	3	1	9
9	2	1	6	3	4	7	8	5
7	3	5	8	9	1	6	4	2
3	4	8	9	1	5	2	7	6
1	5	7	2	6	8	9	3	4
2	9	6	7	4	3	1	5	8

SUDOKU 127

2	7	3	6	5	9	1	8	4
1	4	9	8	7	2	3	5	6
6	5	8	1	4	3	9	7	2
9	6	7	5	1	8	2	4	3
4	3	5	2	9	7	8	6	1
8	1	2	4	3	6	7	9	5
5	2	1	7	8	4	6	3	9
3	8	4	9	6	1	5	2	7
7	9	6	3	2	5	4	1	8

SUDOKU 124

7	5	6	3	9	1	4	8	2
3	8	9	2	7	4	5	6	1
4	2	1	6	8	5	7	9	3
6	7	4	8	5	2	3	1	9
5	1	2	4	3	9	8	7	6
8	9	3	7	1	6	2	4	5
1	6	7	5	4	3	9	2	8
2	3	8	9	6	7	1	5	4
9	4	5	1	2	8	6	3	7

SUDOKU 128

7	6	5	9	4	1	3	2	8
2	8	9	3	6	7	5	1	4
4	1	3	2	8	5	6	7	9
3	9	1	5	7	2	8	4	6
5	2	4	6	9	8	1	3	7
8	7	6	4	1	3	2	9	5
6	4	2	1	5	9	7	8	3
1	5	7	8	3	4	9	6	2
9	3	8	7	2	6	4	5	1

SOLUTIONS

SUDOKU 129

2	6	8	7	4	9	5	1	3
5	3	7	1	8	6	4	2	9
4	9	1	5	3	2	7	6	8
6	4	5	3	2	1	8	9	7
7	1	2	8	9	5	6	3	4
3	8	9	4	6	7	2	5	1
9	7	6	2	1	4	3	8	5
8	2	4	9	5	3	1	7	6
1	5	3	6	7	8	9	4	2

SUDOKU 130

8	9	5	4	1	3	6	2	7
7	1	6	8	9	2	4	3	5
3	4	2	7	6	5	8	1	9
4	2	9	5	3	1	7	8	6
6	5	3	2	7	8	1	9	4
1	7	8	6	4	9	3	5	2
2	6	1	9	8	4	5	7	3
9	3	7	1	5	6	2	4	8
5	8	4	3	2	7	9	6	1

SUDOKU 131

8	3	5	1	9	4	6	2	7
6	9	2	7	3	5	8	1	4
7	1	4	8	6	2	3	9	5
1	4	7	9	5	6	2	8	3
5	6	9	2	8	3	7	4	1
2	8	3	4	1	7	5	6	9
3	2	8	5	4	1	9	7	6
4	7	6	3	2	9	1	5	8
9	5	1	6	7	8	4	3	2

SUDOKU 132

5	9	3	2	4	8	7	1	6
8	4	7	5	1	6	9	2	3
1	6	2	9	7	3	4	5	8
2	8	9	1	3	5	6	7	4
7	1	6	4	8	9	2	3	5
4	3	5	7	6	2	1	8	9
6	2	4	8	5	1	3	9	7
9	7	8	3	2	4	5	6	1
3	5	1	6	9	7	8	4	2

SUDOKU 133

2	6	4	5	3	9	7	1	8
1	9	7	4	6	8	3	5	2
3	5	8	2	1	7	4	9	6
8	1	6	3	9	4	2	7	5
9	7	5	8	2	6	1	4	3
4	3	2	7	5	1	8	6	9
5	8	1	9	4	2	6	3	7
7	4	3	6	8	5	9	2	1
6	2	9	1	7	3	5	8	4

SUDOKU 134

2	1	3	5	6	7	9	8	4
9	8	5	2	1	4	7	6	3
7	4	6	8	9	3	1	2	5
5	7	4	6	8	1	2	3	9
1	6	2	7	3	9	4	5	8
3	9	8	4	5	2	6	1	7
4	5	7	3	2	6	8	9	1
6	3	1	9	4	8	5	7	2
8	2	9	1	7	5	3	4	6

SUDOKU 135

3	8	6	7	1	2	5	9	4
9	5	7	4	3	8	2	6	1
4	2	1	6	5	9	3	8	7
1	7	8	9	6	5	4	2	3
5	3	4	8	2	7	9	1	6
6	9	2	1	4	3	8	7	5
8	6	5	3	9	1	7	4	2
7	1	3	2	8	4	6	5	9
2	4	9	5	7	6	1	3	8

SUDOKU 136

2	7	6	1	8	4	9	5	3
8	5	3	2	9	6	7	4	1
4	1	9	7	5	3	6	8	2
5	4	1	3	2	9	8	6	7
9	3	7	6	1	8	4	2	5
6	8	2	4	7	5	3	1	9
3	2	8	9	4	1	5	7	6
1	6	5	8	3	7	2	9	4
7	9	4	5	6	2	1	3	8

SUDOKU 137

9	4	2	3	5	8	6	1	7
3	8	1	6	7	4	9	5	2
6	5	7	1	2	9	4	3	8
4	6	9	8	1	2	5	7	3
5	1	3	4	9	7	2	8	6
2	7	8	5	6	3	1	4	9
7	2	4	9	3	5	8	6	1
8	3	6	2	4	1	7	9	5
1	9	5	7	8	6	3	2	4

SUDOKU 138

6	5	8	7	1	4	3	9	2
9	3	7	8	2	5	6	1	4
2	1	4	6	9	3	5	8	7
5	4	9	2	3	1	7	6	8
7	6	2	4	5	8	9	3	1
3	8	1	9	7	6	2	4	5
1	7	6	3	4	2	8	5	9
4	9	3	5	8	7	1	2	6
8	2	5	1	6	9	4	7	3

SUDOKU 139

9	3	8	6	7	2	4	5	1
6	1	4	9	8	5	3	2	7
5	7	2	4	1	3	8	6	9
3	6	9	7	2	8	1	4	5
8	2	5	1	4	9	7	3	6
1	4	7	5	3	6	9	8	2
4	5	6	3	9	7	2	1	8
7	8	3	2	6	1	5	9	4
2	9	1	8	5	4	6	7	3

SUDOKU 140

1	3	9	5	4	7	2	8	6
5	7	2	8	3	6	9	1	4
8	4	6	9	1	2	5	7	3
3	8	7	2	6	5	4	9	1
9	2	1	3	8	4	7	6	5
6	5	4	1	7	9	3	2	8
4	6	3	7	9	1	8	5	2
7	1	5	4	2	8	6	3	9
2	9	8	6	5	3	1	4	7

SUDOKU 141

9	3	6	8	4	1	7	2	5
2	8	7	5	9	3	6	4	1
1	4	5	6	7	2	9	8	3
6	7	4	2	1	5	8	3	9
3	1	9	4	8	6	5	7	2
5	2	8	9	3	7	1	6	4
8	9	3	7	5	4	2	1	6
4	5	2	1	6	8	3	9	7
7	6	1	3	2	9	4	5	8

SUDOKU 142

5	3	1	7	8	4	2	6	9
8	4	2	6	3	9	5	7	1
9	7	6	1	5	2	4	3	8
6	9	4	8	7	5	3	1	2
7	2	8	4	1	3	6	9	5
1	5	3	9	2	6	7	8	4
4	6	5	3	9	1	8	2	7
3	1	7	2	4	8	9	5	6
2	8	9	5	6	7	1	4	3

SUDOKU 143

3	7	4	9	2	8	5	1	6
2	8	5	1	6	7	9	3	4
9	1	6	5	4	3	8	7	2
8	6	9	7	5	1	4	2	3
5	2	3	6	8	4	1	9	7
1	4	7	3	9	2	6	8	5
4	9	2	8	7	6	3	5	1
6	5	1	2	3	9	7	4	8
7	3	8	4	1	5	2	6	9

SUDOKU 144

1	4	0	2	0	5	6	3	7
5	7	9	6	4	3	1	8	2
3	2	6	7	8	1	4	5	9
9	3	2	1	5	7	8	4	6
7	5	1	8	6	4	9	2	3
8	6	4	3	2	9	7	1	5
4	8	3	9	7	2	5	6	1
6	1	7	5	3	8	2	9	4
2	9	5	4	1	6	3	7	8

SOLUTIONS

SUDOKU 145

5	9	2	6	1	4	8	3	7
1	3	6	8	2	7	4	9	5
7	4	8	3	9	5	2	6	1
3	5	4	1	7	6	9	2	8
6	7	9	4	8	2	1	5	3
8	2	1	5	3	9	7	4	6
9	6	5	7	4	1	3	8	2
2	8	7	9	6	3	5	1	4
4	1	3	2	5	8	6	7	9

SUDOKU 146

6	3	1	9	8	7	5	2	4
5	7	8	2	6	4	3	9	1
9	4	2	5	3	1	7	8	6
8	9	5	1	4	6	2	7	3
2	6	3	7	9	5	1	4	8
4	1	7	8	2	3	9	6	5
7	8	6	3	5	9	4	1	2
1	5	4	6	7	2	8	3	9
3	2	9	4	1	8	6	5	7

SUDOKU 147

9	6	7	1	2	4	8	5	3
8	1	5	7	3	9	2	6	4
3	2	4	8	5	6	9	1	7
7	5	8	6	1	3	4	9	2
1	4	3	2	9	8	6	7	5
2	9	6	5	4	7	3	8	1
6	7	2	4	8	5	1	3	9
4	8	9	3	7	1	5	2	6
5	3	1	9	6	2	7	4	8

SUDOKU 148

5	3	2	1	7	9	4	6	8
7	1	8	4	3	6	5	2	9
6	9	4	2	5	8	1	7	3
9	6	5	8	4	7	2	3	1
1	2	7	3	9	5	8	4	6
8	4	3	6	2	1	7	9	5
4	7	9	5	8	3	6	1	2
3	5	1	7	6	2	9	8	4
2	8	6	9	1	4	3	5	7

SUDOKU 149

3	7	8	2	6	5	1	4	9
9	6	5	7	1	4	2	3	8
2	4	1	9	8	3	7	5	6
8	2	9	6	5	1	3	7	4
1	5	7	3	4	9	8	6	2
6	3	4	8	7	2	5	9	1
4	1	3	5	2	6	9	8	7
5	8	2	4	9	7	6	1	3
7	9	6	1	3	8	4	2	5

SUDOKU 150

8	4	1	6	9	2	3	5	7
7	6	9	8	5	3	2	4	1
2	3	5	1	7	4	9	6	8
6	9	3	4	2	8	1	7	5
4	5	2	3	1	7	6	8	9
1	8	7	5	6	9	4	2	3
9	7	8	2	3	6	5	1	4
5	2	4	9	8	1	7	3	6
3	1	6	7	4	5	8	9	2

SUDOKU 151

3	2	8	4	5	6	9	7	1
9	6	1	8	7	2	3	4	5
4	7	5	3	9	1	8	6	2
8	3	2	1	4	9	6	5	7
5	1	4	7	6	3	2	9	8
6	9	7	5	2	8	1	3	4
1	4	6	2	3	5	7	8	9
7	8	9	6	1	4	5	2	3
2	5	3	9	8	7	4	1	6

SUDOKU 152

8	7	2	6	1	9	4	3	5
1	6	3	5	2	4	8	7	9
9	5	4	8	3	7	6	1	2
6	8	1	3	9	5	2	4	7
3	2	7	4	6	8	5	9	1
5	4	9	2	7	1	3	6	8
7	3	5	1	8	6	9	2	4
2	9	8	7	4	3	1	5	6
4	1	6	9	5	2	7	8	3

SUDOKU 153

5	7	3	4	8	2	6	1	9
9	6	8	1	3	7	4	5	2
4	2	1	5	6	9	8	3	7
6	4	5	9	1	8	7	2	3
3	8	7	2	5	6	1	9	4
1	9	2	7	4	3	5	8	6
2	5	9	8	7	4	3	6	1
7	1	6	3	2	5	9	4	8
8	3	4	6	9	1	2	7	5

SUDOKU 154

3	8	5	9	7	2	6	4	1
9	1	7	5	6	4	3	8	2
4	6	2	8	3	1	7	9	5
1	4	9	7	5	8	2	6	3
8	5	6	4	2	3	1	7	9
7	2	3	6	1	9	8	5	4
5	3	4	2	8	6	9	1	7
2	7	8	1	9	5	4	3	6
6	9	1	3	4	7	5	2	8

SUDOKU 155

6	2	7	8	9	4	5	3	1
8	5	4	3	2	1	7	9	6
1	3	9	7	6	5	4	2	8
3	9	6	1	4	2	8	7	5
2	1	5	6	7	8	3	4	9
4	7	8	9	5	3	1	6	2
7	8	2	4	1	9	6	5	3
5	4	3	2	8	6	9	1	7
9	6	1	5	3	7	2	8	4

SUDOKU 156

6	3	2	5	1	8	7	9	4
5	1	4	3	7	9	8	6	2
7	8	9	4	6	2	5	3	1
1	6	5	7	9	4	3	2	8
2	9	3	8	5	1	6	4	7
8	4	7	2	3	6	9	1	5
3	2	1	6	8	5	4	7	9
4	7	8	9	2	3	1	5	6
9	5	6	1	4	7	2	8	3

SUDOKU 157

5	6	2	7	3	1	4	8	9
7	1	8	2	9	4	6	3	5
3	4	9	8	5	6	2	1	7
1	2	6	5	7	3	9	4	8
9	7	4	6	2	8	3	5	1
8	3	5	1	4	9	7	6	2
6	9	7	3	8	5	1	2	4
4	8	1	9	6	2	5	7	3
2	5	3	4	1	7	8	9	6

SUDOKU 158

3	4	2	9	1	6	7	5	8
5	7	9	3	8	4	6	2	1
1	8	6	7	2	5	9	4	3
4	1	8	2	9	7	5	3	6
2	3	7	6	5	1	4	8	9
6	9	5	8	4	3	2	1	7
8	5	3	4	7	9	1	6	2
7	6	4	1	3	2	8	9	5
9	2	1	5	6	8	3	7	4

SUDOKU 159

1	3	2	9	6	5	4	8	7
4	9	7	8	2	3	1	6	5
5	8	6	7	1	4	9	2	3
2	1	3	5	4	9	8	7	6
7	5	4	6	8	2	3	9	1
8	6	9	3	7	1	5	4	2
3	7	5	4	9	6	2	1	8
6	4	1	2	5	8	7	3	9
9	2	8	1	3	7	6	5	4

SUDOKU 160

1	8	7	4	2	6	3	5	9
2	9	6	7	5	3	1	4	8
3	5	4	8	9	1	6	2	7
4	2	9	1	3	8	7	6	5
7	6	5	9	4	2	8	3	1
8	1	3	6	7	5	2	9	4
5	3	8	2	1	9	4	7	6
6	4	2	5	8	7	9	1	3
9	7	1	3	6	4	5	8	2

SUDOKU 161

9	7	2	3	1	6	8	5	4
6	5	3	8	4	7	1	2	9
4	8	1	5	2	9	7	6	3
2	6	5	7	3	4	9	1	8
7	3	8	2	9	1	5	4	6
1	9	4	6	5	8	3	7	2
5	1	9	4	8	2	6	3	7
3	4	6	9	7	5	2	8	1
8	2	7	1	6	3	4	9	5

SUDOKU 162

8	4	2	5	1	7	3	9	6
5	7	6	9	3	8	4	2	1
1	9	3	6	4	2	5	8	7
7	1	5	8	6	4	9	3	2
2	8	9	7	5	3	6	1	4
6	3	4	2	9	1	7	5	8
4	5	7	1	8	9	2	6	3
9	2	1	3	7	6	8	4	5
3	6	8	4	2	5	1	7	9

SUDOKU 163

3	9	2	5	6	1	7	4	8
7	1	8	2	4	9	5	6	3
5	4	6	3	7	8	1	9	2
2	8	3	7	9	6	4	1	5
1	7	5	8	2	4	6	3	9
4	6	9	1	5	3	8	2	7
6	2	7	4	3	5	9	8	1
9	5	1	6	8	2	3	7	4
8	3	4	9	1	7	2	5	6

SUDOKU 164

8	3	2	9	4	5	6	7	1
6	5	9	1	7	8	3	2	4
1	4	7	2	6	3	8	9	5
9	6	3	7	5	1	2	4	8
5	1	4	8	2	6	7	3	9
7	2	8	4	3	9	5	1	6
3	9	1	6	8	2	4	5	7
4	8	5	3	9	7	1	6	2
2	7	6	5	1	4	9	8	3

SUDOKU 165

3	4	1	6	7	2	9	8	5
5	6	7	9	1	8	3	4	2
9	2	8	3	5	4	7	6	1
7	5	4	1	9	3	8	2	6
6	8	9	4	2	7	1	5	3
1	3	2	5	8	6	4	9	7
4	1	5	7	6	9	2	3	8
2	7	3	8	4	5	6	1	9
8	9	6	2	3	1	5	7	4

SUDOKU 166

5	8	9	2	4	7	6	1	3
3	4	7	1	6	5	9	2	8
2	1	6	3	8	9	7	4	5
8	6	3	4	7	1	5	9	2
7	9	1	5	2	3	8	6	4
4	5	2	8	9	6	3	7	1
9	2	4	7	5	8	1	3	6
6	3	5	9	1	4	2	8	7
1	7	8	6	3	2	4	5	9